Victor Weiss

Licht und Schatten

Böse Geister

Novelle - Wissenschaftsthriller

Impressum

Bibliografische Information der Deutschen Nationalbibliothek: Die Deutsche Nationalbibliothek verzeich-
net diese Publikation in der Deutschen Nationalbibli-
ografie; detaillierte bibliografische Daten sind im Inter-
net über dnb.dnb.de abrufbar.

Texte:	© 2022 Copyright by Victor Weiss
Umschlag:	© 2022 Copyright by Victor Weiss
Verantwortlich	
für den Inhalt:	Victor Weiss viweiss@gmail.com

Herstellung und Verlag: BoD – Books on Demand,
Norderstedt.

ISBN: 9783756225750

Inhalt

Erster Teil - An der Uni

Kapitel 1

Als Yiov am Abend nach einem langen Tag, den er im Labor verbrachte, Keren in seinem Zimmer antraf, fühlte sie, dass etwas mit ihm nicht stimmte. Sie versuchte mit Kitzeln ihres pechschwarzen Kraushaars an seinem Gesicht, seine Laune aufzuheitern, wie sie es auch schon in der Vergangenheit mit Erfolg getan hatte. Aber diesmal blieb seine Miene verfinstert.

„Was ist los, Yiov?" fragte Keren.

„Ich weiß nicht, was über mich kommt", kam die zögernde Antwort.

„Hast du wieder mal über deine Mutter nachgesinnt?"

Sie hatte von ihm schon einiges über seine schwierigen Jugendjahre vernommen und wusste, dass es ihn noch immer schmerzte. Seine Eltern waren zusammen Mitte der Siebzigerjahre aus der Sowjetunion eingewandert, wo sie in ihrer neuen Heimat ihren Blondschopf und nach etwas über einem Jahr die beiden Zwillingsmädchen auf die Welt gebracht hatten. Bald nach deren Geburt, wurde die Ehe stark strapaziert, da der Vater wieder in den Alkoholismus verfiel. Seine Mutter hatte sich schließlich vom Vater scheiden lassen, als dieser ins Ausland nach Kanada abgetaucht war und sich nie mehr hatte sehen lassen. Nicht einmal Briefe hatte er geschrieben. Erst nach einem mehr als zweijährigen Verfahren, hatte das Rabbinatsgericht ihre Scheidungsklage angenommen und sie vom Status der sogenannten „Aguna", der verlassenen Ehefrau, zu befreien.

Sie konnte als Allein-Ernährerin die drei Kinder kaum mehr durchbringen, und so hatte sie nach langem Zögern und starken Gewissensbissen beschlossen, den großen Buben in ein Internat zu bringen, um die beiden kleinen Mädchen weiterhin bei sich halten zu vermögen. Der Abschied nach Ankunft im Internat war schrecklich gewesen. Für Yiov war es ein Stich mitten ins Herz gewesen. Er lief von ihr grußlos weg und weinte in einer stillen Ecke. Später, an den Wochenenden weigerte er sich, nach Hause zu kommen. Einmal, als er nach hause kam, versuchte die Mutter, ihn zu trösten:

"Begreif doch Yiov, dieser Schritt war unabwendbar gewesen. Es war ja nicht gegen dich gerichtet. Im Gegenteil, du warst ja der Große und die Mädchen wären zu klein dazu gewesen. Aber ich gebe zu, dass ich deine seelische Stärke für dein Alter überschätzt habe. Es tut mir leid, dass es dich derart verletzt hat".

Doch diese Worte hatten ihn nicht überzeugen können. Seine Rettung bestand darin, dass er hoch intelligent war und daher gerne ins Schulstudium flüchtete. Sein

Abitur war ausgezeichnet gewesen, und so wurde er in der Armee in eine Elitetruppe der Artillerie eingeteilt.

Keren machte sich Sorgen um ihn. Solche Depressionen waren in letzter Zeit immer häufiger aufgetaucht. Aber zum Glück konnte er zwischendurch auch wieder energetisch und begeistert wirken, wie zum Beispiel, wenn er im Labor einen Fortschritt in seiner Forschung erzielt oder eine Hundert in einer Prüfung erhalten hatte. Dann gingen sie aus, an eine Käse und Wein Partie, die neuerdings in den neureichen Kreisen Mode geworden war und tanzten Shake oder eng umschlungener Slow. Doch manchmal wirkte er niedergeschlagen; er hatte auch nach Erfolgserlebnissen überhaupt zu nichts Lust.

„Gehst du diese Woche wieder zur Psychologin?", fragte Keren.

„Ja, ist geplant. Aber ich habe da so meine Zweifel, ob es mir wirklich hilft", meinte Yiov und fuhr fort: „Es störte mich das letzte Mal, dass sie mich nicht über Mama reden ließ, sondern mich über meine Forschung ausfragte. Ich meine, sie sollte es mir überlassen, zu welchen Themen ich sprechen möchte, glaubst du nicht?"

„Doch eigentlich schon; aber weißt du, vielleicht verfolgt sie einen bestimmten Zweck. Frag sie doch danach".

Er schaute nun bereits etwas zuversichtlicher in ihre schönen Mandelaugen und dann blieben sie für eine Weile stumm eng umarmt sitzen. Die Psychologin hatte ein Frühstadium einer bipolaren Störung diagnostiziert und bat ihn, doch noch mit Dr. Wechsler dem Psychiater einen Sprechstundentermin zu vereinbaren, um ihm nötigenfalls, Medikamente zu verschreiben. Daran dachte er, während sie so umschlungen saßen, und ob er ihr davon berichten sollte. Er wollte sie aber nicht verlieren, denn er brauchte sie.

Sie hatten sich auf dem Campus kennengelernt. Zuerst war es nur eine oberflächliche Bekanntschaft, die sich anfänglich mit Kopfnicken, zulächeln und dann mit unverbindlichen Gesprächen beim Kreuzen ihrer Wege zwischen der Nationalbibliothek und dem Mathematikgebäude entwickelte. Er war von Kerens exotischer Schönheit angetan – die Tochter einer Einwandererfamilie aus dem Jemen. Ihre markantes Gesicht mit den hohen Backenknochen und ihre attraktive hoch gewachsene Figur und glatte mokka-farbige Haut waren seiner Aufmerksamkeit nicht entgangen. Und dass sie erst noch Mathematik studierte, beeindruckte ihn sehr. Wie es sich ihrem Fach ziemte, waren ihre Kommentare und Antworten anfänglich kurz und präzise. Es gab in ihren Gleichungen nicht mehr Unbekannte, als die Anzahl der Gleichungen. Er integrierte, sie differenzierte. Doch dann, als sie beim erneuten

Gespräch stehend verweilten, gab sie endlich ihr Einverständnis, zusammen Kaffee trinken zu gehen.

Sie hörten einander mit Aufmerksamkeit zu, wenn ihre Familiengeschichten erläutert wurden. Keren erzählte, wie ihre Großeltern mütterlicherseits bereits nach dem ersten Weltkrieg, in den zwanziger Jahren eingewandert waren, und sie beschrieb – nun bereits Hände haltend in ihrem Zimmer im Studentenheim auf dem Campus – dass diese zusammen mit ihren vier Schwestern und zwei Brüdern in einem kleinen Eigenhaus in Rehovot im "She'araim", dem "Zwei-Tore" Quartier wohnten, das hauptsächlich von dieser ethnischen Gruppe bevölkert war. Doch bis zum Erreichen dieses bescheidenen Wohlstands hatten sie die Hölle durchgemacht. Angefangen von – man kann es nicht anders nennen – sklavenähnlicher Haltung als Landwirtschaftsarbeiter bei rassistischen Gutsherren, die sie in den Kuhstall zum Nachtquartier verwiesen, dann in Zelten und in Baracken gedrängt, bis sie sich endlich aus eigener Hand ihre bescheidenen Behausungen erbauten. In diesen Anfängen litten sie unter haarsträubenden sanitären Bedingungen, mit einer horrenden Sterblichkeitsrate im Vergleich zu den aschkenasischen Nachbarn, die getrennt in besser versorgten Quartieren lebten. Ihre Eltern sowie viele ihrer Nachbarn hatten sich inzwischen gut in die Gesellschaft eingegliedert: Ihr Vater war erfolgreicher Grundstücksmakler und ihre Mutter Beamtin in der Stadtverwaltung. Diesem Quartier waren sie dennoch, wie die meisten ihrer Mitgenossen bis heute treu geblieben.

Keren kehrte an Wochenenden gerne ins Quartier ihrer Jugend zurück, und neuerdings nun stets mit Yiov. An den Freitagen ihrer Ankunft, erwartete sie dann jeweils ein lebhaftes Tun und Treiben in der Herzlstraße, dem Hauptstrang (so heißen die Hauptstraßen in fast allen Städten), der dieses Quartier mit Sauerstoff versorgt. Auf der Straße kamen hupende Autoschlangen ins Stocken, die die immer prekärer werdende Verkehrssituation Ende der Achtzigerjahre aufs deutlichste demonstrierten. Sowohl die Vernachlässigung der öffentlichen Verkehrsmittel, als auch der Ausbau der Autobahnen drängten immer mehr Leute sich ein Auto zu kaufen, was auch durch den wirtschaftlichen Aufschwung ermöglicht wurde. Auf den Gehsteigen rasten die Leute wie in einem Ameisennest in die kleinen Einkaufsläden, um ja den Ladenschluss vor Schabbat-Eingang nicht zu verpassen. Von der Hektik etwas entfernt, gab es in einer Seitenstraße, eine kleine ganz simple Essstube, die häusliche, mit Liebe zubereitete und scharf gewürzte jemenitische Fleischsuppen mit Knochen anboten. Keren nahm ihren Freund hie und da mal dorthin. In Gesellschaft der armen Leute, meist Einzelgänger, die sich dort verpflegten, fühlte sie sich wohl und löffelte das köstliche Essen mit Genuss. Mit der Zeit lernte es Yiov auch zu schätzen, obwohl ihm

anfänglich die mit Paprika gewürzten, roten Fettaugen
gewöhnungsbedürftig waren.

Kapitel 2

Yiov fühlte sich unwohl. Er hatte Kopfschmerzen und
auch im Magen hatte er ein ungutes Gefühl. Ob er wohl
eine Erkältung oder gar eine Grippe eingefangen hatte,
vielleicht weil er während der kühlen Nacht beim offenen Fenster geschlafen hatte. Er beschloss deshalb, sich
an diesem Tag eine Ruhepause zu gönnen. Keren
machte ihm noch einen heißen Tee, bevor sie an die
Uni ging. Alleine im Zimmer seinen Tee schlürfend
wanderten seine Gedanken zwischen Vergangenheit,
Gegenwart und Zukunft. Er dachte an Mucki, seinen
Jugendbegleiter im Internat. Er war seine Rettung
gewesen. Mucki war im Grunde genommen zu seinem
Ersatzvater geworden, hatte ihm den Glauben an sich
selbst zurück gegeben und ihn ermutigt, an seine
schöne Zukunft zu träumen. Wenn er schlecht gelaunt
und trotzig gewesen war, so hatte ihn Mucki verstehen
lassen, dass er ihn so akzeptiere, wie er war, und es
nicht seine Schuld gewesen sei, dass ihn sein Vater verlassen und dass seine Mutter ihn hierher gebracht habe.
Mucki gab ihm positives Feedback und allemal eine
Umarmung, die Yiov mit der Zeit zu schätzten lernte.

Und heute war er Doktorand. Er war mit seinen Forschungsresultaten zufrieden, was ihm auch von Rivka Bar Eithan, seiner Doktormutter bestätigt worden war. Er war kurz vor Beendigung seiner experimentellen Arbeit und bald ging's daran, seine These zu schreiben. Gleichzeitig hatte Rivka vorgeschlagen, dass sie bald auch einen wissenschaftlichen Artikel seiner Ergebnisse zur Publikation in einem lukrativen Journal verfassen würden. Darauf freute er sich und war stolz. Auch Keren machte ihm Komplimente und nannte ihn „mein Chemiker". Im Gegenzug nannte er sie „meine Determinante" auf Anspielung ihrer guten Kenntnisse in der Manipulation von Matrizen.

Keren war bereits auf dem Weg zur Mathematik, als sie von weitem Rivka in einem dunkelgrünem Hosendress Richtung Chemie marschieren sah, und so beschleunigte sie ihre Schritte, bis sie sie eingeholt hatte.

„Guten Morgen Professor Bar Eithan. Ich bin die Freundin von Yiov", sagte sie außer Atem.

„Sehr angenehm. Er hat mir schon von dir erzählt. Was gibt's?"

„Gut, dass ich dich treffe. Yiov hat sich heute Morgen schlecht gefühlt und lässt ausrichten, dass er heute zuhause bleibt."

„OK, kein Problem, Keren. Wie fühlt er sich in letzter Zeit? Also mich dünkt er relativ stabil, oder?"

„Ja, Rivka, das finde ich eigentlich auch. Hoffen wir, dass es so bleibt."

Am nächsten Tag hatte sich Yiov wieder erholt und schritt durch das Uni-Gelände vom Studentenheim am entfernten Ende des Campus durch den Fußpfad, der durch wildes Gelände an Büschen und Gesteinsbrocken vorbei, die Geologie passierend bis zum Chemiegebäude führte. Auf dem Weg hatte er einige Salamander sich wohlig sonnend auf warmen Felsen beobachtet, die dann jeweils ins Dickicht flüchteten, wenn sie die annähernde Gefahr witterten. Er selber fühlte sich zuversichtlich und Herr der Lage. Nun war er bei der Chemie angelangt, nahm die Treppe in den zweiten Stock und betrat sein Labor. Er setzte sich auf den Stuhl und begann, den Versuchsverlauf der letzten Phase seiner Doktorarbeit im Kopf gedanklich vorzubereiten. Er dachte daran, seine hergestellten Verbindungen als Nanoteilchen auf Substrate aufzutragen, die an ein Voltmeter durch Kupferkontakte angehängt werden sollten. Die Sonnenenergie würde er mittels einer hochintensiven Xenonlampe simulieren. Er wollte alles im Laborjournal festhalten, und so öffnete er seine Schublade und griff in Gedanken hinein. Aber die Schublade war leer.

"Wie kann das sein?", fragte er sich, da er sich genau erinnerte, es wieder in die Schublade zurückgelegt zu haben. "Oder habe ich die Schublade verwechselt?" Nervös öffnete er nun auch die unterste Schublade, aber die war auch leer. „Also, der Teufel soll mich holen. Spielt da jemand mit mir einen schlechten Streich?", rief er vor sich hin. Er fing an das Labor nach den Heften abzusuchen, ging ans Nebenpult, öffnete die Schubladen heftig, so heftig, dass eine auf den Boden fiel. Nichts. Dann nahm er einen Laborhocker und stieg bei den Bücherregalen hinauf und durchkämmte sie. Lief rasch ans andere Laborende, schaute sich herum, kam wieder zu den Pulten zurück und schaute nochmals in alle Schubladen und auf allen Arbeits-flächen. Nichts. Atmend setzte er sich schließlich auf seinen Laborsessel, lehnte sich zurück und verschränk-te seine Arme im Nacken. „Jetzt ruhig bleiben Yiov", sprach er zu sich und überlegte, wohin seine Dokumen-tation hingekommen sein könnte. Die Idee, dass je-mand sie geklaut haben mochte, flackerte kurz in seinem Gehirn auf, aber er verwarf diese sofort wieder - sowas hatte er noch nie gehört.

Dann kam ihm der Gedanke, dass Rivka wahrschein-lich eine Information für ihren Artikel gebraucht hatte und dass sie deshalb während seiner Abwesenheit die Hefte zu sich genommen hatte. Er lief den Flur entlang zu ihrem Office, klopfte an und öffnete vorsichtig die Tür. Doch der Raum war leer. Da erinnerte er sich, dass sie an diesem Wochentag jeweils eine Vorlesung in „Allgemeiner   Chemie" für Bachelor Studenten gab. Also musste er sich noch für eine knappe Stunde gedulden. Mit nagender Ungewissheit kehrte er an seinen Arbeitsplatz zurück. Er hatte nun den Kopf nicht mehr bei der Sache, um den Versuch fertig zu planen. Auf dem Pult mit den Fingern trommelnd, versuchte er auf andere Gedanken zu kommen, als sich die Türe öffnete und Schlomi eintrat. Er war der Masterand von Dr. Dan Keshet, der konkurrenzierenden Gruppe von Rivka.

„Hallo Yiov, habe dich gestern vermisst, alles ok?"

„Ja, alles ok", antwortete Yiov unfreundlich.

„Was ist denn dir über die Leber gekrochen?", fragte Schlomi erstaunt.

„Ich bin etwas sauer, weil ich den Versuch nicht starten kann, bevor ich ihn mit Rivka besprochen habe." Die letzte Aussage hatte er gewählt, um vorzubeugen, dass Schlomi ihm noch weitere unangenehme Fragen stellte. Er wollte das Verschwinden der Journale noch niemandem bekannt geben, bevor er dies seiner Doktormutter gemeldet hatte. Schlomis Anwesenheit erweckten in ihm jetzt doch die Frage nach einem Verdacht. Er hatte sich im Laufe seiner Masterarbeit mehrere Male bei Yiov beklagt und zwar über die zermürbende Kritik Dan Keshets, dem er es nie recht machen konnte. Seine Resultate seien unbefriedigend und völlig ungenügend für eine Masterthese. Er hatte Yiov auch schon gebeten, ob er nicht von seinen Resultaten Gebrauch machen könne. Yiov hatte ihm seinen unethischen Wunsch natürlich verweigert, aber ihm versprochen, wann immer das möglich sei, ihm mit Ratschlägen zur Seite zu stehen. Schlomi war von da an öfters in Yiovs (also Rivkas) Labor anzutreffen, manchmal sogar auch wenn Yiov abwesend war, wie ihm seine Kollegen berichtet hatten. "Yiov, was macht dieser Schlomi eigentlich ständig in unserm Labor?", hatte ihn Shulamit mal beiläufig gefragt.

Schlomi wünschte ihm viel Glück beim Versuch, fragte ihn noch, ob er zurechtkomme, und verabschiedete sich dann.

Kapitel 3

Schlomi ging nun selber in sein Labor, motiviert ebenfalls einen Versuch zum Abrunden seiner Resultate anzusetzen, wie ihm Keshet ja empfohlen, oder besser gesagt, befohlen hatte. Er war etwas erstaunt, Keshet weder in seinem Büro noch im Labor vorzufinden, wie er sich beim Vorbeigehen vergewissert hatte. Als er so dasaß und anfing den Versuch vorzubereiten, klopfte es an der Tür. Da trat eine junge Frau ein und stellte sich als Chava vor und fragte, ob er wisse, wo sie Professor Keshet finden könne. Ob sie denn in seinem Büro nachgeschaut habe, was sie bejahte. Jemand habe sie darauf hierher verwiesen. Nein, also heute habe er ihn noch nicht gesichtet, ob sie eventuell später oder morgen wiederkommen wolle, fragte Schlomi. Er war von der Erscheinung des schönen Mädchens geblendet. Sie hatte dunkelblondes Haar in einem Reif zusammengehalten, große blaue Augen und trug ein hellblaues luftiges Kleid, mit einer dunkelblauen Kordel, die ihre äußerst enge Taille betonte. Er dachte sich, "was will so ein Filmstar in der Chemie?" Auch ihr nordeuropäisches Aussehen, das hierzulande im allgemeinen und speziell hier in der Mathematik, der Physik und Chemie eher selten war, trug zu ihrem Reiz zusätzlich bei.

„Bist du ein Student von Keshet?", erkundigte sie sich.

„Ja, ich bin sein Masterand. Mit was kann ich behilflich sein?" strahlte er sie an.

„Man hat mir auf der Fakultät einige Namen genannt, bei denen ich den Master machen könnte. Die Themen von Keshet und auch die von Professor Bar Eithan fand ich interessant. Sag mal, wie ist Keshet?"

Er hielt inne und zögerte mit der Antwort, denn er zweifelte, ob er ihr die ganze Wahrheit sagen sollte. Er wollte seinen Vorgesetzten eigentlich nicht schlecht machen, und die Möglichkeit, die letzten Monate mit so einer attraktiven Kollegin verbringen zu dürfen, wäre ein schönes Abschiedsgeschenk für ihn gewesen.

„Also, er ist ein guter Wissenschaftler mit solidem theoretischen und praktischem Wissen, und originellen Ideen", antwortete er fürs erste.

„Aber? Du hast etwas gezögert. Wie ist er als Mensch, hm, als Boss?" bohrte sie nach.

„Was ich dir hier sage, ist sehr delikat. Kannst du es für dich behalten?"

„Na klar, mach' dir wirklich keine Sorgen", antwortete sie zuversichtlich.

Er erforschte ihre Augen und fand, dass sie einen ehrlichen Eindruck machte. „Im großen Ganzen sehr nett und unterstützend. Nur manchmal, wenn er eine schlechte Laune hat, dann kann es etwas brenzlig werden."

„Ok, verstehe. Und sag mir bitte. Kennst du Bar Eithan? Wie ist sie?"

„Ich kenne sie recht gut, aber natürlich nicht als ihr Student. Bei den Seminaren der Abteilung macht sie mir stets einen guten Eindruck. Aber frage doch mal einen ihrer Studenten, zum Beispiel ihren Doktorand Yiov. Der ist sehr nett und kann dir sicher Auskunft geben."

„Vielen Dank, das ist sehr lieb von dir", bedankte sie sich aufrichtig und war im Begriff, sich zu verabschieden, als Schlomi noch nachfragte, ob er Keshet was ausrichten solle. Nein, meinte sie, das sei nicht nötig. Sie werde ihn morgen nochmals aufsuchen.

Dann, in der zweiten Etage, fand sie Yiov, nachdem sie auch Rivkas Office leer angefunden hatte. Er schaute von seinem Pult fragend auf, als sie eintrat. Er war immer noch in nachdenklichem Zustand und hatte für die Schönheit gar keine Augen. Er bat sie später oder an einem andern Tag nochmals vorbeizuschauen, da er bald an eine Besprechung müsse. Etwas erstaunt, verabschiedete sie sich von diesem als „sehr nett" bezeichneten jungen Mann.

Yiov sah auf seine Uhr und sah, dass es bereits viertel nach Elf war und so begab er sich zu Rivkas Office, da sie nun eigentlich von der Vorlesung zurückgekehrt sein sollte. Er fand die Tür zu, machte nach kurzem Klopfen auf und sah Rivka tatsächlich an ihrem Pult sitzen. Aber sie war nicht alleine, denn bei ihr saß die Blondine beim Interview, dieselbe, die er gerade noch aus dem Labor geschickt hatte.

„Ah, Yiov, komm nur rein. Das trifft sich gerade gut. Das ist Chava, die sich bei uns für einen Masterplatz interessiert. Du könntest sie dann durch unsere Labors führen. Geht das dir jetzt?"

„Gerne, aber kannst du mir bitte noch meine Laborjournale zurückgeben, denn ich wollte gerade ein Experiment vorbereiten", platzte Yiov raus.

„Deine Laborjournale? Die habe ich nicht. Wieso sollten die bei mir sein?" fragte Rivka. Yiov wurde kreideweiß. Er musste sich setzen.

„Sie sind verschwunden. Ich kann sie nicht mehr finden, ich habe im ganzen Labor gesucht!"

Chava schien die Krisensituation erkannt zu haben und schlug vor, am Nachmittag oder morgen wieder vorbeizukommen, was Rivka mit Kopfnicken bestätigte.

„Komm Yiov, trinke zuerst mal ein Glas Wasser und dann denken wir in Ruhe nach." Sie trat an ihren kleinen Kühlschrank und goss ihm aus der Flasche ein. „Also, seit wann vermisst du deine Journale?"

„Seit heute Morgen. Vor ein paar Tagen, bevor ich mich krankmeldete, habe ich noch einen Eintrag darin gemacht. Da waren sie, also zumindest das laufende, noch da."

„Hast du sie eventuell mit nachhause genommen?", fragte die Professorin.

„Nein, sicher nicht, denn ich hatte ja nicht geplant, zuhause zu arbeiten", sagte Yiov mit Bestimmtheit.

„Also, ich schlage vor, warten wir noch etwas zu, bevor wir Alarm schlagen. Wer weiß, vielleicht kommen sie ja doch noch zum Vorschein", sagte Rivka.

„Gut, wenn du meinst. Ich bin ratlos. Falls sie nicht auftauchen, was soll ich dann tun? Meine ganze Doktorarbeit ist doch dort drin enthalten!" sagte Yiov, und die Verzweiflung war ihm ins Gesicht geschrieben.

Rivka betrachtete ihn mitfühlend und fuhr fort: „Ich verstehe deine Sorge gut. Aber ich denke, wir sollten es nicht so tragisch sehen; etliches wird sich aus dem Gedächtnis rekonstruieren lassen. Also, gehe dich einstweilen ausruhen und morgen besprechen wir unsere Vorgangsweise in Ruhe. Heute hattest du genug Strapazen."

Yiov verabschiedete sich. Er war seiner Doktormutter dankbar für ihre ausgestrahlte Ruhe und tröstenden Worte. Er nahm seinen Rucksack und Jacke und machte sich auf den Weg in sein Studentenzimmer. Er war jetzt doppelt froh, dass er das Privileg hatte, ein Einzelzimmer zu halten, wie es denn älteren Semestern zustand. Nachdem er seine Sachen dort deponiert hatte, ging er zum Zimmer von Keren, fand sie aber nicht. Sie hatte offenbar beschlossen, noch in der Bibliothek zu studieren, und so hinterließ er einen Zettel mit der Bitte, dass sie ihn sofort aufsuche. Zurück im Zimmer legte er sich erschöpft aufs Bett und schlief bald ein.

Kapitel 4

Yiov schritt einen langen Flur entlang, der nicht enden wollte. Endlich kam er an eine mit einer kleinen Glasluke versehene Türe, die verschlossen war. Als er umkehren wollte, sah er, dass sich auch hinter ihm eine verschlossene Glastür befand. Dort, woher er gekommen war, herrschte nun Dunkelheit. Er spähte durchs Fenster vor ihm, und dort sah er in der Ferne ein schwaches Licht. Er musste vorwärts kommen. Also nahm er seine Faust und schlug gegen das Glasfenster, das zersplitterte. Er hatte sich leicht verwundet, und etwas Blut tropfte auf den Boden. Er langte hindurch und fühlte dort den Schlüssel im Schloss. Diesen drehte er um, und die Tür öffnete sich. Nun lief er auf einem Weg in Richtung des Lichts, doch dieses schien sich mit jedem Schritt weiter zu entfernen; er lief und lief. Dann plötzlich hörte er Rufe – er glaubte Keren zu vernehmen. Dann wachte er auf und Keren stand neben ihm am Bett.

„Du bist ja schweißgebadet. Ich war vor zwei Stunden hier und als ich dich in tiefem Schlaf vorfand, ging ich wieder weg", sagte Keren.

„Wieviel Uhr ist es?"

„Es ist bald Mitternacht. Du sagtest, ich soll dringend kommen. Also, da bin ich", sagte sie erwartungsvoll.

„Ich hatte gerade einen Albtraum. Aber heute Morgen geschah was in Wirklichkeit. Meine Laborjournale sind abhanden gekommen."

Sie starrte ihn ungläubig an.

„Ja, weißt du, was das heißt? Mein ganzes Doktorat ist im Eimer!" rief Yiov seiner Freundin zu.

„Yiovi", so nannte sie ihn manchmal liebevoll, „Yiovi, also mal langsam. Wohin sollten den die hingekommen sein?"

„Also, wenn ich das wüsste, dann hätten wir dieses Gespräch sicher nicht", erläuterte Yiov etwas barsch.

„Also, sei mir nicht so ein Klugscheißer. Hast du denn wirklich schon alle Möglichkeiten durchgedacht?"

„Entschuldige bitte. Es war nicht gegen dich gerichtet. Aber das ganze Labor habe ich bereits mehrmals abgesucht. War keine Spur davon."

„Wer könnte denn deine Hefte gebraucht haben? Hast du schon bei Rivka oder deinen Kollegen in der Gruppe nachgefragt?" erkundigte sich Keren.

„Ja, mit Rivka habe ich heute gesprochen. Sie meinte, dass ich ein paar Tage abwarten solle. Vielleicht kämen sie noch zum Vorschein. Aber stimmt, die Kommilitonen habe ich noch nicht gefragt. Werde mal diskret nachfragen. Danke Liebling für deine Unterstützung. " Er nahm sie in die Arme und sie küssten sich. Dann ließen sie ihre Hüllen fallen, eine nach der andern. Das war das beste Mittel gewesen, um Yiov auf andere Gedanken gebracht zu haben.

Als sie aufwachten, war schon neun Uhr und Keren bat Yiov, sich zu beeilen, denn um zehn Uhr hätte sie eine Vorlesung, und er sagte, dass er nun heute seine Kommilitonen ausfragen werde. Also machten sie sich auf den gut bekannten Weg durch das wilde Gelände. Es schien eine angenehm wärmende Morgensonne, und als sie sich verabschiedeten war ihnen buchstäblich warm ums Herz. Doch Yiovs Laune sollte sich bald wieder verdüstern. Nachdem er im Labor angekommen war, seine Tasche auf seinen Stuhl gelegt hatte, trat er ins Nachbarslabor ein und fand dort Shulamit, eine schwarzhaarige junge Frau, mit der Sicherheitsbrille aufgesetzt und ihren weißen Labormantel tragend, fleißig am Abzug hantieren. Die Studenten von Rivka wussten, dass sie sich peinlichst genau an die Sicherheitsvorschriften zu halten hatten, ansonsten sie von ihr einen Rüffel einfangen würden, was etlichen von ihnen anfänglich auch schon passiert war. Shulamit war wie er eine Doktorandin von Rivka, aber erst in den Anfängen. Weiter hinten saß Carlo ein Masterand, der durch den Studentenaustausch für ein Jahr gekommen war. Er verstand noch kein Hebräisch, und er kommunizierte auf Englisch mit schwerem italienischem Akzent. Yiov begrüßte Shulamit mit kurzem Gruß, welchen sie erwiderte. Er begann sie nun auszufragen, ob sie eventuell wisse, ob jemand seine Laborjournale gebraucht habe, während seiner Abwesenheit vor ein paar Tagen. Sie blickte ihn erstaunt an und antwortete kurz und bündig mit nein. Wieso er sie das frage, wollte sie wissen. Er klärte sie über die Angelegenheit auf. Dann zeigte er Richtung Carlo, ob er vielleicht was gesagt habe. Nein, das habe er nicht, aber er soll ihn ruhig selber fragen. Das tat er, indem er sich neben ihn stellte und fragte:

"Hi Carlo, how are you? How is your research going?"

"Fine thank you. I am doing some literature search. I actually found an interesting article by the well-known Swiss group from Lausanne. And yourself?"

"Listen, have you by any chance borrowed my lab books, or any idea, who might have?"

"Oh no, certainly not. I wouldn't dare to touch such personal material without asking you. I really do not have any idea. Do you want me to help to look for them?" Carlo war wirklich ein netter Kerl und hatte sich gut eingelebt. Yiov bedankte sich bei den beiden und schritt nun den langen Flur entlang zu Rivkas Office. Sie war gerade am Telefon, als er in der Öffnung stand, winkte sie ihn mit schwenkendem Arm rein und wies ihn mit offener Hand an, abzusitzen. Das Gespräch dauerte noch eine Weile – sie schien mit dem Dekan zu sprechen, wie er aus dem Inhalt und dem Vornamen, mit dem sie ihn ansprach, entschlüsselte. Er hörte gespannt zu, jedoch vernahm er nichts, was sein Fall anbelangte. Dann legte sie auf und erkundigte sich nach seinem Wohlergehen.

"Hast du die Laborjournale inzwischen gefunden?", war ihre zu erwartende Frage.

"Nein leider nicht. Ich habe mal ganz diskret in unserer Gruppe nachgefragt. Weder Shulamit noch Carlo wussten was davon. Ich schaute sicherheitshalber auch noch im Zimmer des Studentenheims. Mir sind die Ideen ausgegangen. Ich weiß wirklich nicht, wie ich die Arbeit von ganzen vier Jahren wieder rekonstruieren soll", klagte Yiov und saß im Stuhl, wie wenn einem Ballon die Luft entwichen wäre.

"Das ist schon eine verdammt dumme Situation. Wohin könnten denn die Journale hingekommen sein. Wer könnte sie entwendet haben?" Sie schien intensiv zu denken und dann plötzlich sperrte sie ihre Augen auf. "Ich habe da so eine Idee, wer daran Interesse haben dürfte. Aber ich will sie vorläufig noch nicht aussprechen; denn das wäre eine schlimme Unterstellung von mir. Also, das bleibt vorläufig unter uns. Du kannst dich ja inzwischen diskret umhören", deutete sie an. Nach einer Verschnaufpause fuhr sie weiter: "Ich möchte, dass wir optimistisch bleiben. Jedoch, wenn sie nicht hervorkommen sollten, dann werden wir einen Rekonstruktionsplan ausarbeiten, indem wir gewisse Experimente, an die du dich genau erinnern kannst, rekonstruieren und fehlendes halt in wenigen Versuchen wiederholen. Du bist ja jetzt schon erfahren, und das sollte dir mit Leichtigkeit gelingen".

Dann verabschiedete er sich und ging in Gedanken vertieft an seinen Laborplatz. "Was hatte Rivka da angedeutet", fragte er sich. "Doch nicht etwa die

Gruppe von Keshet?" Als er so sinnierend dasaß, öffnete sich die Tür und Schlomi trat ein. „Dem hatten wohl die Ohren geläutet", dachte Yiov.

"Ahalan, Yiov, geht es dir heute besser? Du warst ja schon ziemlich verpisst gestern", grinste Schlomi.

"Hi Schlomi, ja tut mir leid. Schön dich zu sehen", versuchte Yiov es gut zu machen, und fuhr fort: "Siehst du, alle meine Laborjournale, das ganze Doktorat, sind verschwunden".

"Oj wej, das ist ja schrecklich!"

Yiov sah, dass er es ernst meinte, und fuhr fort:

"Zuerst dachte ich, dass sie Rivka gebraucht hat. Dann fragte ich meine Kommilitonen unserer Gruppe, aber die wissen auch nichts. Hast du irgendeine Idee, wohin sie gekommen sein könnten?"

Schlomi langte in seinen Blondschopf und kratzte sich am Kopf. "Das ist mir ein Rätsel. Werde die Ohren steif halten", versprach er und verschwand. In seinem Labor angelangt, suchte er immer noch vergeblich nach Keshet. "Schon merkwürdig", dachte sich Schlomi, da Keshet nicht berichtet hatte, dass er abwesend sei. "Gibt es da möglicherweise einen Zusammenhang mit Yiovs vermissten Journalen?", fragte er sich im Stillen. Der Gedanke, dass Dan sich da einen Streich geleistet haben könnte, kam in ihm plötzlich auf und ließ ihn nicht mehr los. Er erinnerte sich an seine gereizte Reaktion, als er Rivkas Gruppe erwähnt hatte. Aber wie er diesen Verdacht verifizieren könnte, wusste er nicht. Er konnte es ja sicherlich nicht wagen, Dan darüber direkt anzusprechen. Das würde quasi "Selbstmord" bedeuten.

Kapitel 5

Yiov lag auf seinem Bett und war eingenickt, als Keren am Abend von ihren Studien zurückkehrte und ihn besuchte. Sie trug wie immer ein T-Shirt – diesmal war es eines, das sie selber mit der Batik Technik gedruckt hatte – mit rosa und marineblauen Farben, die ineinander flossen. Das Farbmuster mahnte etwas an ein Bild aus einem Rorschach Test. Sie trug es über ihren engen Bluejeans, die sie noch schlanker aussehen ließ. Yiov betrachtete sie und ihr Oberteil eine Weile, fand sie bildhübsch und fragte dann nach ihrem Wohlergehen.

„Wie war dein Tag, Keren?"

„Ganz gut. Heute war ich ja wieder Übungsinstruktorin. Schon bemerkenswert, was für ein riesiges Gefälle da bei diesen Bachelorstudenten vorherrscht. Stell dir vor, ich habe einen Abschreiber erwischt, als ich die Übungen korrigierte. Wie ich das entdeckt habe, möchtest du sicher fragen? Beim Durchlesen kamen mir seine Formulierungen bekannt vor und tatsächlich hat ein anderer Student die Übung inklusive Erklärungen genauso gelöst. Aber dem Abschreiber sind einige Fehler eingeschlichen und kurioserweise anstelle der Abkürzung für 'was zu beweisen war', schrieb er 'w36w'. Natürlich musste ich ihm dafür eine Null schreiben". Sie war zufrieden, dass ihre Erzählung bei Yiov ein Schmunzeln hervorbrachte. "Und du, wie war dein Tag?", fragte sie, obwohl sie ahnte was seine Antwort sein würde.

„Heute fühlte ich mich so schlapp, dass ich beschloss im Zimmer zu bleiben."

„Yiovi", sagte sie in ruhigem Ton, wobei sie ihm liebevoll durch sein Haar strich. „Yiovi, glaubst du denn nicht, dass deine in letzter Zeit häufigen Absenzen dir schaden könnten?"

„Höre mal Keren, ich brauche diese Auszeit, um mit mir ins Reine zu kommen. Ich weiß nicht, ob es überhaupt einen Wert hat, die Doktorarbeit zu beenden. Ich habe wirklich keine Motivation, alles nochmals nachzuholen", meint er mit weinerlichem Ton.

„Also Yiovi, nimm es doch nicht so tragisch. Du hast ja selber erzählt, dass Rivka dir helfen wird. Aber komm, ich habe Hunger. Machen wir uns was zu essen".

„Ich hab gar keinen Appetit", antwortete Yiov und schaute trotzig drein. Sie ignorierte ihn einfach, stand auf und ging in die Gemeinschaftsküche, um ein leichtes Nachtessen vorzubereiten. Sie machte sich daran, „Shakshuka" zu kochen, nahm Zwiebeln, Knoblauch, Petersilie, Tomaten, und Peperoni aus ihrem Kühlfach und hackte alles in kleine Stücke. Dann gab sie Salz, Pfeffer und Kumin dazu und gärte es in der Bratpfanne. Nach etwa fünfzehn Minuten sah sie, dass alles zu einer weichen Masse geworden war, und so gab sie zwei rohe Eier hinein und ließ diese in der bedeckten Pfanne, ohne zu rühren, fertig kochen. Dann ging sie mit der Pfanne zu Yiov zurück, deckte das kleine niedere Tischchen und servierte das farbenfrohe Mahl.

„Komm, Yiov, wir essen", lud sie ihren Freund ein. Dieser hob sich schwerfällig vom Bett und setzte sich auf eines der orientalischen Kissen nieder. Langsam aber sicher kriegte er etwas Appetit, nahm ein Stück Weißbrot zur Hand und tunkte es in die Shakshuka hinein. „Gut Yiovi, du musst unbedingt regelmäßiger essen. Du brauchst diese Energie, und außerdem dünkt es mich, dass du abgenommen hast."

Die Nacht verbrachten sie dann getrennt, da sie meinte, er brauche guten Erholungsschlaf. Am nächsten Morgen erwachte Yiov schon um sechs Uhr, als ihm ein Sonnenstrahl direkt ins Auge schien. Er hatte erneuten Elan und dachte daran, heute ins Labor zu gehen, um zu besprechen, wie er seine Resultate rekonstruieren könnte. Doch nun war es noch etwas zu früh und deshalb beschloss er, seine Wäsche zu waschen, die sich bereits seit einigen Wochen in einem riesigen Jutesack angesammelt hatte. Als er ihn aufmachte, um die noch herumliegenden Wäschestücke reinzustopfen, flog ihm ein moderiger Geruch entgegen, der ihm sagte, dass es tatsächlich höchste Zeit geworden war. Er war sich schon lange gewohnt, seine Wäsche selber zu pflegen, da er dies bereits im Internat gemacht hatte, weil er es unter seiner Würde gefunden hatte, damals die schmutzigen Kleider seiner Mutter heim zu bringen.

Yiov schleppte den Sack auf der Schulter gebuckelt in den Waschraum, wo noch niemand zu dieser frühen Stunde antraf und er so unter den freien Maschinen auswählen konnte. Er stopfte die Wäsche in die geöffnete Trommel, schlenzte die Tür ins Schloss, gab Waschpulver und Weichmacher in die vorgegebenen Abteils und drückte den Jeton in den Münzenschlitz. Als er zufrieden vernahm, dass Wasser in die Maschine einfloss, öffnete sich die Tür zum Waschraum und siehe da, welch ein Zufall, Schlomi trat mit seiner Wäsche herein. Er wohnte ebenfalls im Studentenheim, jedoch nicht im gleichen Gebäude – hatte also seinen Korb vom Nachbarsgebäude herbei geschleppt.

„Guten Morgen, Yiov, wieder Mal am Schmutz beseitigen, oder?"

„Guten Morgen, Schlomi, da scheinen wir ja was Gemeinsames zu haben", worauf beide herzlich lachten.

Schlomi entlud nun ebenfalls seinen Waschkorb und ging bückend die übliche Routine durch, während dem er Yiov zur Substanz bat: „Sag mal Yiov, hast du inzwischen deine Journale gefunden?"

„Nein, Schlomi, das ist schon verschissen. Du hast ja gesagt, dass du dich umhören wirst. Eventuell was rausgefunden?"

„Nein, leider nicht", sagte Schlomi kopfschüttelnd und fuhr fort: „Siehst du, ich habe gerade meinen ersten Entwurf der Masterthese an Dan eingereicht, und in paar Wochen habe ich Abschlussprüfung. Danach wird es mir leichter sein, für dich Nachforschungen zu treiben. Bleibt aber zwischen uns, ok?"

Kapitel 6

Dan Keshet hängte seine Laborschürze an den Kleiderhaken und setzte sich mit seinem stattlichen Körperbau ans Pult. Der neuartige Versuch zum Ausfällen von kolloidalem Selen war ihm gut gelungen, wie dem mittelalterlichen Dozenten der anorganischen Chemie erschien. Er fasste den Versuchsvorgang und die Resultate in seinem Heft zusammen. "Ich werde die erhaltenen Materialproben zuerst durch optische Mikroskopie untersuchen", überlegte er sich, da das Budget für die viel genauere Elektronenmikroskopie äußerst knapp geworden war.

„Verdammt noch mal!" hämmerte er seine Faust aufs Pult, wodurch von den Büchern Staub aufgewirbelt wurde. „Jetzt, wo ich fast am Ziel wär, muss ich sparen". Er hatte vor einigen Monaten einen Forschungsantrag eingereicht, um Förderungsgelder zu erhalten, aber dieser war abgelehnt worden. Deshalb konnte er auch keine neuen Studenten mehr anstellen, und es blieb ihm nur noch ein einziger zur Verfügung. Doch auch dieser würde ihn bald verlassen, da er seine Masterarbeit voraussichtlich in zwei bis drei Monaten beendigen würde und er Keshet bereits angekündigt hatte, dass er beabsichtige in die Industrie abzuwandern.

„Herein!" rief Keshet seinem Studenten Schlomi zu, als sich dieser an der Tür meldete. „Du lässt dich ja kaum mehr im Labor sehen", war des Professors Willkommensgruß, den er mit starrem Blick begleitete und dabei seine Haarsträhnen mit seinen Fingern zurecht kämmte.

„Aber du weißt doch Dan, dass ich am Schreiben meiner These bin – das war doch so abgemacht", erwiderte Schlomi. Der hellhaarige, blauäugige Schlomi stammte aus einer alt eingesessenen ursprünglich russischen Familie, diente als Leutnant in einer Kampftruppe und hatte Gefechtserfahrung auch jenseits der Grenzen.

„Ja, das hast du etwas zu weitläufig verstanden, wo du doch noch einige Resultate zum Verstärken der Aussagen brauchen könntest". Diese lockere Anredeform mit dem Vornamen war an der Hebräischen Universität in Jerusalem zwischen Studenten und den Professoren gang und gäbe. „Also, etwas mehr Engagement und Einsatz hätte ich von dir inzwischen schon erwartet", sagte er in seiner donnernden Bassstimme.

Schlomi antwortete nichts, da er inzwischen wusste, dass wann Keshet in dieser Laune war, Rechtfertigungen nichts nützten. "Kein Wunder findet er kaum Studenten", dachte sich Schlomi, da es sich herumgesprochen hatte, dass mit diesem Wissenschaftler nicht gut war, Kirschen zu essen. Keshet hatte ihn bereits des Öfteren mit Vorwürfen schikaniert.

„Dan, was ich fragen wollte, ob wir uns mit der Gruppe von Rivka Bar Eithan zusammensetzen sollten, um meine Resultate zu besprechen, und dadurch eventuell noch einige Anstöße zu erhalten?"

„Bist du verrückt geworden? Bevor wir unsere Resultate nicht publiziert haben, darfst du mit denen auf keinen Fall sprechen! Verstehst du mich?"

„Ja, verstehe ich schon; aber bedenke bitte, ich treffe Yiov, den Doktoranden von Rivka, des Öfteren und wir erzählen uns natürlich schon von unserer Arbeit."

„Das hättest du mir vorher sagen sollen, aber jetzt ist der Schaden wohl schon geschehen."

„Es tut mir leid, ich habe mir dabei nichts Böses gedacht. Bedenke bitte, ich höre ja auch von ihm über seine Arbeit, und die ist wirklich spannend."

„An was arbeitet er denn?", fragte Dan.

„Er forscht an einem kolloidalen Selen-System zur Gewinnung von Sonnenenergie."

Dan schwieg einen Augenblick, und wie er bemerkte, dass seine Hände anfingen zu zittern, legte er sie auf seine Knie. Als er seine Fassung wiederfand, gab er einige Kommentare zu Schlomis Arbeit ab und entließ ihn dann mit dem Vorwand, dass er noch wichtiges zu erledigen habe.

"Also sowas, jetzt klauen die mir noch meine Forschungsarbeit. So eine 'Chuzpe' ", dachte Dan.

Mit der Bar Eithan hatte er noch eine offene Rechnung. Sie waren beide zum gleichen Zeitpunkt Studenten, gewissermaßen Kommilitonen gewesen, beide erhielten Auszeichnungen, waren danach zum Postdoc abgereist, und nach ihrer Rückkehr aus dem Ausland wurden beide als Dozenten an der Uni für eine akademische Karriere aufgenommen. Doch da begann sich zwischen den Beiden ein Konkurrenzkampf abzuzeichnen, weil ihre Gebiete sich tangierten und ein Wettstreit um die Anzahl wissenschaftlicher Publikationen und der Anerkennung der Kollegen entbrannte.

Rivka gewann allmählich die Oberhand. Erstens war sie eine dynamische, intelligente Person mit unheimlicher Schaffenskraft, die zwar ihren Studenten alles abverlangte; aber dennoch von allen respektiert wurde – ja trotz ihrer strengen äußeren Fassade, konnte man sie lieb gewinnen, wenn man sie einmal näher kannte. Sie war stets fair und ging mit gutem Beispiel voran, wenn sie ihre Laborschürze anzog und selber Experimente ansetzte. Und dann ihre peinliche Genauigkeit und Sauberkeit in der Durchführung der Untersuchungen. Einige der Studenten hatten damit Mühe, da man im Lande ja sonst die Dinge nicht so genau nahm und "die Ecken abrundete". Sowas aber tolerierte Rivka niemals.

Diese "jeckischen" Eigenschaften hatte sie offenbar von ihrem Vater vererbt, ein aus Deutschland in den dreißiger Jahren emigrierter junger Mann. Er hatte damals noch Bärenfels geheißen, doch auf Drängen der Einwanderungsbehörde hatte er seinen Namen "ivritisiert", wie man hierzulande den Vorgang des hebräischen Namenwechsels bezeichnet. Bar Eithan hatte ihm unter den verschiedenen Vorschlägen am besten gefallen. Er hatte als junger Mann in Deutschland Jura studiert. Spätestens mit Hitlers Machtübernahme und der kurz darauffolgenden Bücherverbrennung war ihm klar geworden, dass er das Land verlassen musste. In

Israel hatte der Neueinwanderer dann zähneknirschend das israelische Anwaltspatent nachgeholt - zähneknirschend darum, weil ja die Gesetze auf gehobenem Hebräisch verfasst waren. Mit den Jahren hatte er es als harter aber fairer Staatsanwalt sogar bis zum Richter gebracht.

Rivkas Themen waren spannend, und sie beschaffte ihrer Gruppe aus den eingebrachten Förderungsgeldern die neuesten Einrichtungen und Instrumente, was ihr stets eine beachtliche Anzahl von mitarbeitenden Studenten einbrachte. Dies wiederum ermöglichte eine weitere Zunahme der Veröffentlichungen. Sie ließ die Studenten fast frei walten, in der Auffassung, dass diese ja genug motiviert waren, ihre Thesen gut fortschreiten zu lassen. Diese vernünftige Politik der „langen Leine" hatte sich gut bewährt.

Kapitel 7

Hingegen war Dans viel versprechende Karriere bald ins Stocken geraten. Anfänglich sah alles vielversprechend aus. Der Sohn von polnischen Einwanderern, die mit dem bekannten Schiff Exodus nach langer Ungewissheit schließlich an Land gebracht wurden, hatte seine Jugend wohl behütet in Haifa auf dem

Karmelberg verbracht. Manche munkelten, dass er von seiner Mutter fast zu umsorgt gewesen war. Sie drängte auf seine Ausbildung. "Weißt du Dani, was du im Kopf mit dir trägst, das kann dir niemand wegnehmen". Jedoch vor lauter Sorge um den zarten Dani, ließ sie ihn kaum aus dem Haus, und wenn sie mal selber mit ihm auf dem Spielplatz war, dann rief sie ihm andauernd zu: "Dani, pass auf, sonst du wirst umfallen!" Und dann später in der Mittelschule, am renommierten "Realigymnasium", wurde er von seinen Kameraden bald mal als Streber gehänselt und gelegentlich von einem Raufbold sogar geschlagen. Er musste nach der Schule auf sein Zimmer gehen und zuerst die Hausaufgaben machen, während dem es die Mitschüler weniger genau nahmen. Er hatte kaum Freunde und fühlte sich gemieden. Und wenn er aus dem Zimmer ins verdunkelte Wohnzimmer trat, um sich die Beine zu vertreten, dann bat ihn die Mama zu Tisch und servierte mit der Nummer auf ihrem Unterarm Kartoffelpuffer. Er wusste anfänglich natürlich noch nicht, was es mit der Tätowierung auf sich hatte. Der Vater hingegen hatte sich zu den Partisanen durchgeschlagen, nachdem er sich vom Umschlagplatz hatte wegschleichen können. Er arbeitete nun, um die Familie durchzubringen, als Hafenarbeiter viele Überstunden und war selten zuhause. Auf jedenfalls nicht in den Stunden wo Dan wach war.

Als junger Mann studierte der überdurchschnittlich begabte Schüler Chemie an der hebräischen Uni. Diesen Ort hatte er absichtlich bevorzugt, weil es ihm genügend Distanz und Luft vom Elternhaus einbrachte. Und dann eben das Postdoc an der Westküste in Stanford. Er hatte Glück gehabt, als man ihm diese Stelle dank des Einsatzes seines Doktorvaters angeboten hatte. Auch dort war er einsam, aber dies störte ihn weniger, da er den ganzen Tag und Teile der Nacht im Labor verbrachte. Außer den wenigen Pausen in denen er es sich gönnte, Spaziergänge an der Pazifik zu unternehmen.

Er hatte zufällig ein Gespräch zwischen Kollegen überhört, die begeistert von ihrer Schifffahrt zur Beobachtung von Walfischen berichteten. Als er Ende Februar an den Pier zu solchen Ausflügen gelangte, sah er, dass in wenigen Minuten gerade ein Schiff auslief. Also ging er an die Kasse und erkundigte sich, ob um diese Jahreszeit die Wale sich immer noch in der Gegend befänden, da man ihm die Hochsaison bis Anfangs Februar angegeben hatte. Der Kassier beantwortete die Frage mit: "Sicher, da wirst du noch einige Stücke zu sehen bekommen". Mit der Karte in der Hand bestieg er den Kutter. Dort trat er zum Steuermann und ungläubig wie er war, stellte er auch diesem die gleiche Frage. Der Seemann gab nun die Anzahl der zu erwartenden Wale mit zwei bis drei an. Mit dieser in ihm weitere Zweifel aufkommenden Antwort setzte er sich an die Reling, als gerade eine sympathisch aussehende junge Frau mit dunkelbraunem Haar fürs gleiche Unterfangen eingestiegen war. Er lachte sie an und sie lächelte zurück, und so kamen sie ins Gespräch. Sie käme aus der Türkei. Ihr hätte man ebenfalls die zu beobachtende Anzahl der Riesensäugetiere als mit an einer Hand abzuzählen, angegeben. Nun lief das Schiff aus und die Spannung nahm von Minute zu Minute zu. Aber von Walen war vorläufig nichts zu sehen. Dan fragte den Steuermann nun schon ungeduldig, wann sie die Tiere zu Gesicht bekämen. Dieser kratzte sich an der Schläfe, schob seine Seemannskappe zurecht und meinte, man müsse halt Geduld und Glück haben.

Dann nach etwa zwanzig Minuten zeigte er in Richtung Steuerbord und rief aus: "Dort, dort, seht hin, dort ist ein Walfisch!"

Dan konnte keinen Fisch ausmachen, und so rief er aufgeregt zurück: "Wo, wo, zeig nochmals, ich kann ihn nicht sehen."

"Dort, dort, schau, den Schwanz!" Aber das einzige, was Dan sah war eine schäumende Welle. Nun wandte er sich an seine Gelegenheitsgefährtin und fragte: "Siehst du ihn?" Sie schüttelte bloß den Kopf, wobei ihr Pferdeschwanz mitschwang.

Als sie sich bereits Richtung Hafen näherten, meinte Alice (sie hatten sich einander inzwischen vorgestellt): "Also, ich hätte zwar die famosen Wale schon gerne gesehen, aber für mich war es das erste

Mal, dass ich den Pazifik eroberte, und das ist es mir wert gewesen!", und lachte dazu. Dan lächelte süß-sauer zurück und dachte bei sich: "So eine Lebensauf-fassung möchte ich auch haben."

Einmal im Hafen angekommen, nachdem das Schiff angelegt hatte, und sie in den sicheren Hafen run-tergestiegen waren, fragte Dan in seinem tiefen Bass: "Alice, hast du Lust auf einen Kaffee?"

"Ja, eigentlich schon. Die salzige Meeresluft hat mich durstig gemacht!" Wobei sie mit der Zunge die trocke-nen Lippen befeuchtete. Nahe beim Hafen fanden sie eine kleine Kaffeebar und setzten sich an einen aus-sichtsreichen Fensterplatz. Es war wahrscheinlich die Tatsache, dass die beiden im weiteren Sinne aus der gleichen heimatlichen Region kamen, die ihr Gespräch rasch zum Austausch intimer Angelegenheiten führte. Oder vielleicht fielen die Hemmungen auch, weil sie ja am andern Ende der Welt waren, und jeder bei sich dachte, dass sie sich kaum wiedersehen würden. Sie erzählte ihm von ihrer Beziehung zu einem Mann, mit dem sie schon einige Jahre in romantischer Beziehung stand, die aber in letzter Zeit schwer belastet wurde. Deshalb war sie froh alleine in die USA gereist zu sein, um mit sich ins Klare zu kommen. Dan sagte, dass er dies genauestens nachvollziehen könne, denn mit seiner Partnerin ginge es ihm ähnlich. Das Gespräch dauerte wohl schon eine Stunde, als sie auf die Uhr schaute und sagte: "Dan, es ist schon ziemlich spät. Ich muss noch nach Sacramento fahren und das möchte ich nicht im Dunkeln".

"Da habe ich eine viel bessere Idee. Ich wohne in Stanford bei der Uni in einem kleinen Apartment und du kannst bei mir übernachten und morgen früh fährst du mit erneuten Energien an dein Ziel". Dan ermunterte sie nickend.

"Bis du sicher? Macht dir das keine Umstände? Eigentlich könnte ich ja in ein Motel. Wir kennen uns ja kaum!"

"Ach was, das sind wirklich keine Umstände. Und mir ist, als kenne ich dich schon seit langem."

Letztendlich nahm sie die Einladung an. Sie fuhren im figurativen Schlepptau, er voran, sie dicht hinter ihm und er vergewisserte sich fortlaufend, dass er sie nicht abhängte. In seine Wohnung eingetreten, entschuldigte sich Dan wegen der Junggesellenunordnung und wegen dem ätzenden Geruch, da die Holzverkleidungen in der Wohnung gerade kürzlich neu gestrichen worden seien.

"Du, das macht mir nichts aus. Mein Vater war Schreiner und diesen Geruch kenne ich von meinen Besuchen in seiner Tischlerwerkstatt".

"Darf ich dir ein Glas Roten offerieren. Der mildert uns dann den Geruchsinn etwas", sagte er lachend. Dazu stellte er gesalzene Erdnüsse und Pommes Chips auf.

Nach dem zweiten Glas, erzählte sie weiter über ihren weit zurückgebliebenen Partner: "Ich habe ihn in flagranti mit einer andern erwischt, und da bin ich zu einer Freundin gezogen." Sie begann zu schluchzen und er nahm nun ihre Hand in seine. Er streichelte ihre hübschen langen Finger und dann küssten sie einander. Er umschlang sie und seine Hände drangen unter ihre Bluse und fühlten die weichen und warmen Rundungen und abstehenden Brustwarzen. Er war nun schon so sehr erregt, dass er anfing sie auszuziehen. Sie sah seine Erektion und rief aus: "Dan, nein bitte, das geht mir alles etwas zu rasch!", und noch schwer atmend zog er sich zurück. "Danke dir Dan, das ist sehr rücksichtsvoll von dir", meinte sie anerkennend.

Nach dem vierten Glas konnte man hinter den Bergen bereits das Morgengrauen erkennen. Sie küssten sich wieder leidenschaftlich und diesmal ließ sie es über sich ergehen, denn sie erkannte, dass er nicht mehr von ihr ablassen konnte. Er lag über ihr mit seinem ganzen Gewicht, und sie konnte sich kaum noch bewegen. Er drang rasch in sie ein, kam ins Stöhnen und entleerte sich unmittelbar. Dann endlich rollte er neben sie, schnaufte noch eine Weile schwer und sagte schließlich: "Oh, das war gut, wirklich gut!" Sie lag schweigend neben ihm, und als sie sein Schnarchen vernahm, zog sie sich rasch an und machte sich ganz leise aus dem Staub. Dan hatte danach versucht mit ihr zu korrespondieren, denn sie hatte bei ihm das Gefühl einer besondern Beziehung hinterlassen. Aber seine Briefe kamen alle mit "Adressat unbekannt" wieder zurück.

Dafür waren die Resultate seiner Forschung ausgezeichnet, was ihm drei Publikationen und die Rückkehr in die Alma Mater ermöglichten. Nun kämpfte er um Anerkennung als Professor, doch es war ein holpriger Weg. Als er an einem Kolloquium seine Forschungsresultate vortrug, und dabei eine gewagte Hypothese formulierte, fragte Rivka:

"Welche Annahmen hast du denn bei der Berechnung der Wärmeenergien angenommen?" Als seine Antwort unbefriedigend rüberkam, zweifelte sie an der Richtigkeit seiner Schlussfolgerungen und riet ihm: "Ich empfehle, das gemessene Energiebudget nochmals zu überprüfen, um ganz sicher zu gehen, dass der Energieüberschuss tatsächlich photochemischer Natur ist".

Es ging ein Raunen durch die Anwesenden, und Dan verließ den Raum sofort nach Beendigung seines Vortrags mit rotem Kopf, nicht bevor er noch das Kichern von Yiov notiert hatte.

Kapitel 8

Dan war zu gleich schockiert und betrübt. Er befürchtete, den Wettlauf mit Rivkas Gruppe zu verlieren und mit seinen jahrelangen Forschungsanstrengungen auf keinen grünen Zweig zu kommen. Was konnte er tun, fragte er sich. Da plötzlich überfiel ihn eine Wahnidee: er musste unbedingt an die Forschungsergebnisse Yiovs rankommen, um deren Stand zu eruieren. Aber wie er das bewerkstelligen sollte, das wusste er noch nicht genau. Auf Schlomis Hilfe zu zählen, glaubte er nicht zu können, da dieser ja mit Yiov in einem guten kollegialen Verhältnis stand. Und jetzt erst recht nicht, nachdem er Schlomi die Leviten gelesen hatte. Er war sich reuig und zog sich, mit sich unzufrieden, an seinem Bärtchen.

„Eigentlich", so sinnierte er, „eigentlich könnte ich nachts mal in den Labors Rivkas reinschauen, um zu sehen, ob sich etwas in den Laborheften ausfindig machen lässt". Wo aber Yiovs Laborplatz war, wusste er nicht sicher.

Ein für Dan glücklicher Zufall wollte es, dass er am Nachmittag durch den Flur an Rivkas Labors vorbei schritt und dort bei einer der offenen Türen, Schlomi und Yiov zusammensitzen sah. Die beiden waren so vertieft in ihr Gespräch, dass sie nicht rüber schauten und so offenbar Dan nicht gesehen hatten. So, jedenfalls, glaubte er. Er saß nun wieder an seinem Pult und las eine Publikation über die Gewinnung von Wasserstoff durch Photolyse. Er war aber nur halb konzentriert und erwischte sich öfters dabei, dass er an das Bevorstehende dachte und wieder von neuem anfangen musste. Draußen zwitscherten noch die Vögel auf den prächtigen Nadelbäumen. Es war bereits späterer Nachmittag und die gelblichen Sonnenstrahlen fielen flach herein. Die Zeit verfloss kriechend.

Endlich war es dunkel geworden. Keshet bemerkte es erst jetzt als er aufschaute, und als er die Uhr konsultierte, war es schon acht Uhr. Er braute sich einen Kaffee und aß ein Sandwich, das er noch am Morgen von zuhause mitgebracht hatte. Es schmeckte nicht mehr frisch und das Brot hatte sich von den Tomaten in einen unappetitlichen Brei verwandelt. Bevor er seinen Plan auszuüben gedachte, wollte er noch etwas abwarten, um ganz sicher zu sein, dass keine Leute mehr im Gebäude waren.

Der Kaffee hatte ihm neue Energien und Zuversicht gegeben, und um etwa halb Zehn stieg er die Treppe vom ersten ins zweite Stockwerk hinauf, vergewisserte sich, während er sachte durch den dunklen Flur schritt, dass tatsächlich niemand mehr in den Büros war. Er schaute nochmals nach links und rechts und trat alsdann in dasselbe Labor, wo er Yiovs Arbeitsplatz noch am Nachmittag hatte ausfindig machen können. Er tastete sich vorwärts bis zum vermeintlichen Sitzplatz und fand dort den Lichtschalter der Pultlampe. Die nun schwach beleuchtete Tischfläche war mit einigen Labor Geräten besetzt, aber Dokumentationen sah er keine. Dann fing er an, die Schubladen zu öffnen, und auch dort fand er nur Utensilien, wie Korken, Thermometer, Wägepapier, Folien und Spateln. „Habe ich mich wohl getäuscht und bin im falschen Labor?" fragte er sich, war aber überzeugt, dass er sich richtig erinnert hatte. Er sah ein zweites Pult direkt neben dem ersten, vermeintlichen und suchte es ab. Dann in der zweiten Schublade links, fand er ein dickes Laborheft. Sein Herz pochte. Er machte es auf und siehe da, Yiovs Namen stand auf der ersten Seite. Es war Yiovs Laborjournal. Darin waren die jeweiligen Versuchsdaten markiert, und die Arbeitsvorgänge waren sehr ordentlich und detailliert verfasst. Auf manchen Seiten war die Versuchsanordnung sogar skizziert. Gemäß den Daten umfasste das Journal bloß das letzte Jahr, was zwar wichtig war, aber für Dan ungenügend erschien. Deshalb suchte er weiter und öffnete die Schublade darunter und siehe da: dort fand er tatsächlich zwei weitere Hefte der vorhergehenden Jahre. Er nahm die Beute an sich und wollte soeben das Labor verlassen, als er Schritte im Flur vernahm. Nun knipste er den Lichtschalter rasch ab und verweilte am Ort. Sein Herz raste. Dann war alles wieder verstummt und Dan machte sich auf den Weg zurück in sein Büro. Dort angelangt, überfiel ihn ein euphorisches Gefühl. Er studierte die Hefte, um einen ersten Eindruck zu erlangen. Beim Lesen musste er mehrmals pausieren, um seine Lachkrämpfe vorübergehen zu lassen. Dann fühlte er umgehend eine bleierne Müdigkeit und beschloss nachhause zu gehen. Er stopfte die Hefte in seinen verschließbaren Bücherschrank, unter einem

Stapel von Wissenschaftsjournalen, schloss den Schrank und sein Büro ab und verließ das Chemiegebäude in raschem Schritt. Als er aus dem Eingang ins Freie trat, begegnete er dem Kollegen Yossi Cahen, der bemerkte, dass er aber spät dran sei. Er habe noch an einem Artikel geschrieben, den er dringend einreichen müsse, erklärte Dan. Und er, fragte Dan zurück, was ihn so mitten in der Nacht hierher treibe. Er fliege ja morgen nach Strasbourg an die Konferenz für Materialforschung, und da habe er bemerkt, dass er etwas vergessen habe. Dann wünschten sie einander Gute Nacht und viel Erfolg.

Dan schritt den Zentralboulevard der Uni entlang Richtung Eingang, und die Ereignisse des heutigen Tages rasten ihm durch den Kopf. Dass er ausgerechnet dem Cahen hatte begegnen müssen, war ihm etwas ungeheuer, denn da gab es jetzt ja quasi einen Zeugen seiner Anwesenheit. Yossi, der für seine „jeckische" Integrität bestens bekannt war, werde, falls es dazu komme, dies dann sicher bezeugen. Keshet begann trotz der angenehm kühlen Nacht zu schwitzen. Sein Hemd verfärbte sich unter den Achselhöhlen. In seinen Gedanken sah er sich bereits auf dem großen Platz vom Galgen hängen, wie der berüchtigte Spion Eli Cohen in Damaskus. Sollte er vielleicht wieder in die Chemie zurück und die Hefte retournieren. Nein, diese Halunken müssen bestraft werden, da sie seine Forschung gestohlen hatten.

„Wie sagt man doch so schön", erinnerte er sich an das bekannte biblische Urteil, „wer vom Diebe stiehlt, ist der Strafe enthoben." Jedoch schien er gar nicht gewusst oder vergessen zu haben, dass dabei das Eigentum retourniert werden muss. Dan hatte nun das Eingangstor des Campus' passiert und schritt den Weg durchs Wadi, der ihn in seine Wohnung bringen würde. Es war finster, aber da er den Weg, den er täglich abschritt, gut kannte, war die gelbliche Straßenbeleuchtung, die schwächlich vom Quartier herüber schien, genügend. Das Wadi war voller dunkler Felsbrocken und schwarzen Fichten. Hinter einem dieser Baumstämme glaubte er Yiov zu sehen, der ihm mit der Faust zufuchtelte. Dan beschleunigte seinen Schritt und kam ins Stolpern, konnte sich aber gerade noch auffangen. Schnaufend kam er in seiner Wohnung an, nahm einen großen Schluck Wasser und sackte aufs Sofa. Dann brach er wieder in kugelndes Lachen aus und pustete das Wasser vor sich hinaus.

Kapitel 9

Rivka ging im Eiltempo ins Büro, und als sie von weitem den Kollegen Keshet erblickte, beobachtete sie, wie dieser eine Kehrtwendung machte, wie wenn er ein

Zusammentreffen mit ihr vermeiden wollte. „Wieder mal typisch. Schon ein komischer Kauz, dieser Dan", dachte sie sich.

Inzwischen hatte Dan über die Hintertreppe sein Büro erreicht, grub die Laborjournale hervor und setzte sich hin, um deren Studium zu beginnen. Er sah, dass Yiovs Forschung neben Selen auch diverse andere Verbindungen mit diesem Element beinhaltete. Da würde er wohl einige Zusatzideen für seine eigene Forschung erhalten. Dann klopfte es an der Tür. Keshet erschrak und verstaute umgehend die Hefte in seiner Schublade und rief herein. Es war Schlomi, der vorbeischaute.

„Was gibt's?" fragte Keshet ungeduldig.

„Ich hab's mir überlegt", meinte Schlomi, „wir könnten doch auch noch Cahen zu unsern Besprechungen mit einladen. Dann hätten wir ja quasi eine Garantie, dass Rivkas Gruppe unsere Resultate nicht wegnehmen kann. Was meinst du?"

Dan überlegte sich, wie er den Störenfried wieder loswerden konnte. Er durfte jetzt nicht überreagieren, um ihn nicht weiter ins Lager von Bar Eithan zu drängen und keinen Argwohn aufkommen zu lassen. Cahen war ja im Ausland, also konnte er doch dem Treffen zustimmen und so bis zu dessen Rückkehr Zeit gewinnen.

„Ist gar keine schlechte Idee", antwortete nun Dan. „Er weilt momentan an einer Konferenz im Ausland. Sobald er wieder zurück ist und sich von den Reisestrapazen erholt hat, werde ich es ihm vorschlagen."

Schlomi war sichtlich zufrieden und verabschiedete sich grinsend. Dan war froh, wieder alleine zu sein und in den Laborjournals ungestört weiterblättern zu können. Er beschloss dann am Abend, die Journals sicherheitshalber mit nachhause zu nehmen. Zuhause würde ihn niemand überraschen werden - dort lebte er alleine. Er war geschieden, seit Ada, seine Frau, ihre kinderlose Ehe aufgelöst hatte. Es hatte sich herausgestellt, dass seine Spermienzahl zu klein war, um eine Schwangerschaft zu ermöglichen. Wie er sich immer wieder von neuem geweigert hatte, sich behandeln zu lassen, sei's mit urologischen Mitteln, sei's mit hormonaler Behandlung oder durch Psychotherapie, gab sie nach fünf Jahren der Ehe ihre Hoffnung auf und verließ ihn.

„Siehst du", hatte sie argumentiert, „ich bin jetzt schon fünfunddreißig, und so viele Jahre verbleiben mir auch nicht mehr - ich möchte dann mal den letzten Zug nicht verpassen. Das Kind, das ich haben möchte, kommt mir manchmal im Traum vor". Diese Worte hallten noch in seinem Gedächtnis, wenn er sich an den Abenden einsam fühlte. Er hatte offenbar nicht richtig realisiert, dass der zweite wahrscheinlich nicht weniger ins Gewicht fallende Grund, der sie bewogen hatte, ihr gemeinsames Leben aufzulösen, seine paranoischen

Eifersuchtsszenen gewesen war. Wenn sie sich mit einem Bekannten oder einem Berufskollegen in ein Gespräch verwickelte, beschuldigte er sie dann wuterregt eines Verhältnisses mit diesen Männern. Und jedesmal, wenn sie nach Hause kam, dann fragte er: "Wo warst du?" Aber ihre Antworten befriedigten ihn nie und nimmer. Wenn sie spät von der Arbeit kam, dann erklärte sie:

"Ich wurde von meinem Chef aufgehalten. Ich musste noch was für ihn erledigen."

"Was heißt 'etwas erledigen?' Das scheint mir eine Ausrede zu sein. Hast du ein Verhältnis mit ihm? Ich sah ja wie ihr am Firmentreffen einander Blicke zugeworfen habt!"

"Dan, solche Anspielungen verbiete ich mir! Bitte beherrsche dich!"

Nach etwa einem halben Jahr der Trennung rief er Ada an, um den Puls einer möglichen Rückkehr zu fühlen. Doch sie winkte ab, da sie bereits in einer neuen Beziehung war. Sie wünschte ihm noch viel Glück in seinem Leben. Eigentlich hätte er solches Glück haben können, denn seine Voraussetzungen waren ja ausgezeichnet. Er war Privatdozent an der Uni, sehr intelligent und sah als relativ groß gewachsener Mann eigentlich auch ganz gut aus, obwohl er inzwischen einen kleinen Bauch angesetzt hatte. Das weibliche Geschlecht sah sich von diesem charismatischen Typ angezogen und so fehlte es ihm nicht an Partnerschaftsauswahl. Doch die angefangenen Beziehungen dauerten jeweils nicht lange, da sich die Spannungen bald mal meldeten und die Partnerinnen sich wieder davon machten. Außer Ada, die wohl eine gewisse Portion an Masochismus aufwies und ihn heiratete, trotz seiner Streitsüchtigkeit und Eifersuchtsanfällen.

Dass er Spermienarmut hatte, war für sie dann der entscheidende Vorwand, die Ehe aufzulösen, ohne seinen psychischen Zustand ansprechen zu müssen. Denn das wäre ja irgendwie Fahnenflucht gewesen. Aber dass Ada Kinder wollte, das musste und konnte er akzeptieren. Er hatte sie zwar wiederholt gebeten, ihm noch etwas Zeit zu lassen und sich zu erkundigen. Aber am entscheidenden Abend, als sie ihren Entschluss gefasst hatte, sprach sie:

"Du hast deine Behandlung jetzt schon ein paar Jahre immer wieder herausgeschoben, trotz deinen Versprechungen. Hörst du Dan, dieses Thema haben wir schon zigmal besprochen und darüber gestritten, und jetzt ist meine Geduld einfach zu Ende. Morgen ziehe ich aus!"

Alles zureden und die Beschwichtigungsversuche seinerseits brachten nichts. Dann wurde er verbal aggressiv und begann zu toben: "Was für eine egoistische Person bist du denn und überlässt mich meinem Schicksal? Du weißt ja um meine Krankheit. Hast du denn kein Mitgefühl?".

Sein Blick verhärtete sich und er trat auf sie zu. Sie bekam es jetzt mit der Angst zu tun, und befürchtete, dass er noch gewalttätig werden würde und schrie:

"Dan komm mir nicht zu nahe, sonst muss ich bei der Polizei anrufen!"

Er wich von ihr und beschwichtigte sie. Ada schlief dann im Gästezimmer und am nächsten Morgen, nachdem er an die Uni gegangen war, hatte sie ihre Koffer rasch gepackt und war aus seinem Leben verschwunden.

Kapitel 10

Dan Keshet saß in seinem bequemen Sessel neben der Veranda mit dem großen Fenster und las die Laborjournale von Yiov. Manchmal schaute er beim Lesen auf und betrachtete die schöne Aussicht zum Wadi. Er hatte Glück gehabt, dass er diese Wohnung fand und sie erstehen konnte. Das war dadurch möglich geworden, indem er während dem zweijährigen Postdoc eine hübsche Summe hatte ersparen können. Die restlichen achtzig Prozent des Kaufpreises finanzierte er mit einer günstigen Hypothek, die er durch die Bank an der Uni hatte aufnehmen können. Seine permanente Stelle erlaubte ihm nun, die Rückzahlung in Monatsraten pünktlich direkt von seinem Konto zu vollbringen. Drei Jahre hatte er bereits abgestottert und deren siebzehn blieben ihm immer noch. Durchs breite Fenster blickend, sah er die dichten Baumbestände an den Abhängen des Tals und auf der gegenüberliegenden Seite, zwischen den Spitzen hindurch, in der Ferne die Unigebäude.

Dan hatte die Journale bereits seit einigen Tagen studiert und sich Notizen davon gemacht. Irgendwann wollte er dann die Journale wieder in Yiovs Labor zurückbringen, da er vernommen hatte, dass darüber gemunkelt wurde. „Das wird langsam etwas brenzlig", sagte er zu sich und so eruierte er mögliche Varianten, wie und wo er dies bewerkstelligen wollte. Oder sollte er diese gar in Schlomis Schubladen in seinem Labor stecken, so dass der Verdacht des Diebstahls auf seinen Studenten fallen würde? „Aber nein, nicht doch", dachte er sich, "Schlomi ist zwar manchmal etwas störrisch, aber er ist immerhin mein Zögling und meine Aufgabe ist ja, ihn zu fördern und nicht fallen zu lassen".

Doch zuerst wollte Keshet Yiovs Ideen und Methoden auf seinen Namen patentieren lassen, um sich das Urheberrecht abzusichern. Der Entwurf konnte eigentlich in einigen Tagen abgeschlossen sein, und diesen beabsichtigte Dan, ins Technologie-Transfer Büro zu bringen, damit diese die Anmeldung beim israelischen Patentamt einreichen würden. Er saß da nun in seinem Unterleibchen und Shorts, hatte ein Schüsselchen Pommes Chips und ein Glas Kola neben sich auf dem Tischchen stehen, kratzte sich an seinem fettgewordenen Bäuchlein, griff kauend in den Nachschub und dachte an die noch nötige Ausarbeitung dieses Schriftstückes. Es fiel ihm schwer. Die Kola schmeckte ihm nicht, denn er glaubte, dass sie einen Nebengeschmack hatte – fast wie eine Fischbrühe. Er stand auf, holte sich in der Küche ein Glas Wasser, spülte sich den Mund und spuckte es in den Trog. „Ich habe heute ja meine Medizin noch gar nicht eingenommen", kam ihm in den Sinn, „danach werde ich mich hoffentlich besser konzentrieren können".

Am Abend nahm er dann den Text wieder zur Hand und las ihn durch. "Ja, genau, das ist gut. Das sind alle meine Ideen. Die habe ich damals selber erfunden. Rivka und Yiov haben sie mir gestohlen", sagte er laut und in überzeugtem Ton. "Die lauschten sicher hinter der Tür, während den Diskussionen mit meinen Studenten oder haben die gar meine Gedanken gelesen?"

Dan begab sich ins Badezimmer, wo er seine Medikamente aufbewahrte, nahm gerade zwei Tabletten auf einmal, da er sie am Vortag vergessen hatte einzunehmen und schluckte sie mit Wasser runter. Diesmal legte er sich aufs Sofa – er fühlte sich erschöpft und dachte wehmütig an Ada. Er wusste es zu schätzen, dass sie damals bereit gewesen war, auf die

Wohnung zu verzichten. „Im Grunde", hatte sie anlässlich ihrer Diskussion über die Güterteilung gesagt, „im Grunde habe ich ja doch einige Jahre mitgeholfen, die Hypothek abzubezahlen, aber ich werde darauf verzichten, um die Scheidung rasch abzuschließen". Das linderte zwar den Schmerz seines Verlusts um Ada etwas, aber seine Sehnsucht nach ihr, war dafür umso größer.

Dann lag sie über ihm. Sie zog ihm das Hemd aus, dann die Hosen und sie schmiegte ihre Hüfte über die seine. „Komm, Dan, komm. Versuchen wir's noch mal. Diesmal wird es uns gelingen", flüsterte sie ihm ins Ohr. Ihr ganzer Oberkörper geriet in ein rhythmisches Wippen. Sie riss die letzten Kleiderstücke von sich, ihre Brüste fingen an zu tanzen und ihr Stöhnen wurde lauter. Seine Unterhose schwellte an. „Hörst du Dan, die Glocken läuten! Siehst du, das ist ein gutes Zeichen!" Er bewegte sich mit ihr in wildem Gleichtakt. Dann fielen sie in den Abgrund.

Dan lag schweißgebadet und erschrocken auf dem Boden neben seinem Sofa. Der Aufprall hatte ihn geweckt. Seine Hose war nass. Mühsam auf weichen Beinen stand er auf, sein Rücken schmerzte. Der Schlaf im Salon hatte ihm nicht gut getan. Draußen dämmerte es. Er schaute auf die Uhr: es war halb sieben. Nun begab er sich ins Bad und duschte sich.

Erfrischt und mit einer Tasse Kaffee setzte er sich an den Schreibtisch und nahm sein Manuskript zur Hand. Nun flossen die Zeilen nur so aus der Feder und die Beschreibungen seiner Erfindungspunkte nahmen Form an. Gelegentlich bediente er sich seiner Notizen aus der Abschrift von Yoavs Journalen. Nach etwa zwei Stunden konzentrierten Schreibens las er alles nochmals durch, strich einiges raus, fügte einige Punkte an und korrigierte ein paar Fehler. „So, ich denke, fürs Erste ist das genug. Die vom Techtransfer können doch auch etwas arbeiten. Die sollen mir das Ganze in die Patentsprache umwandeln und die Patentansprüche formulieren."

Er zog sich ein kurzärmeliges hellblaues Hemd und die langen dunkelblauen Hosen an, trotz der sengenden Hitze in der Stadt. Er wollte schließlich als seriöser Wissenschaftler wahrgenommen werden. Draußen angelangt setzte er sich seine Sonnenkappe auf und begann den Fußmarsch ins Wadi hinunter. Er ging etwas schwerfällig, und auf dem Weg überholten ihn einige flinke Studenten; einer grüßte ihn sogar freudig mit Guten Morgen. Er erkannte ihn nicht - es musste wohl einer der Studenten aus seinen Vorlesungen gewesen sein. Endlich passierte er das Haupteingangstor der Uni und begab sich zum Gebäude des Technologie-Transfers. Er fühlte bereits die Nässe unter seinen Achseln und regte sich dabei auf. Die Empfangsfrau in der Lobby bat ihn einen Moment abzusitzen, Zwi werde ihn gleich empfangen können.

Es ging tatsächlich nicht lang, als Zwi Neumann, ein hagerer Mittvierziger mit kahl geschorenem Schädel und einer goldenen Metallbrille zu ihm stieß und ihn einlud ihm in sein Büro zu folgen. Das Büro war großzügig angelegt und hatte einen Besprechungstisch an den sie sich setzten. Dan händigte ihm sein Manuskript aus und bat ihn, sich davon eine Kopie anzufertigen.

„Kein Problem", meinte Zwi, „das wird dann Tova erledigen. Möchtest du einen Kaffee?"

„Ja gerne. Habt ihr "Botz" ohne Zucker mit Milch?"

Zwi nickte und begab sich zur Tür und rief Tova zu, ob sie bitte einen "Botz" mit Milch ohne Zucker zubereiten könne und setzte sich wieder hin.

„Bitte, Dan, beschreibe mir doch mal deine Erfindung. Also, um was handelt es sich? Was ist das neue daran und was für Verfahren und Produkte möchtest du patentieren"?

Dan räusperte sich und fing an, zuerst die chemische Zusammensetzungen der Kolloide zu beschreiben, dann wie man solche mikroskopische Teilchen herstellt. Da gab es für ihn auszuholen, denn für diese Verfahren benötigte man zusätzliche chemische Polymere und

Zusatzstoffe, deren Aufgabe es war das Agglomerieren der Teilchen zu verhindern.

Tova war inzwischen nach Anklopfen im Büro erschienen und stellte neben Dan die Tasse hin. Der bedankte sich und begann daran laut zu schlürfen. Zwi schaute ihn etwas schief an. Er benutzte die Gelegenheit, um ihm Zusatzfragen zu stellen, was die Verbindungen und Zusatzstoffe anbelangte, in wieweit sich diese auf zusätzliche Materialgruppen ausdehnen ließen. Denn das Patent sollte ihn davor schützen, dass es mit Leichtigkeit umgehen werden könnte, indem ein Schlaumeier den einen Stoff mit einem andern, nicht beschriebenen, ersetzen würde. Dan machte sich Notiz und versprach die Materialliste zu erweitern.

Danach beschrieb der Wissenschaftler experimentelle Anordnungen der foto-elektrochemischen Prozesse zur Gewinnung von Sonnenenergie. Auch hier bat ihn Zwi, alle möglichen Alternativen aufzulisten, was das Elektrodenmetal, deren Geometrie und Oberflächenbeschichtung anbelangte. Dan versprach sein Manuskript, wie besprochen, in wenigen Tagen zu vervollständigen, erhob sich vom Stuhl und bedankte sich. Zwi bedankte sich ebenfalls und dass sie voneinander hören werden. Wieder im Freien, überquerte Dan den großen Platz Richtung Landesbibliothek und wandte seinen Blick dem stilistisch angelegten Wasserbecken zu, das mit einer niedrigen kniehohen Mauer umgrenzt war, auf der sich Studenten und Besucher stets hinsetzten, um sich eine Ruhepause zu gönnen. Da glaubte er dort Yiov zu sehen, der ihm zuwinkte. Als er näher kam, sah er ihn nicht mehr. Er war verwirrt und mit sich unzufrieden zugleich.

Kapitel 11

Da erinnerte sich Dan, dass er ja um elf Uhr der Masterprüfung von Schlomi beizusitzen hatte. Er musste sich beeilen - als Mastervater ziemte es sich nicht, zu spät zu erscheinen. Eigentlich hatte er keinen Grund zur Besorgnis. Schlomis Arbeit war ja vom Prüfungsgremium gut geheißen worden, und Schlomi hatte bei ihrer letzten Besprechung vor einer Woche, ihm einen guten Eindruck gemacht, was sein Fachwissen anbelangte. Zwar hatte er sich komisch benommen und des Öfteren seine Blicke im Büro herumschweifen lassen. Einmal war er sogar aufgestanden und hatte sich neben seinem Pult ans Fenster begeben und die Aussicht gerühmt.

Dan traf Schlomi auf der Treppe nahe der kleinen Bibliothek an und tauschte mit ihm noch letzte ermunternde Worte aus. Die Kollegen des Prüfkomitees saßen schon am Konferenztisch, als Keshet eintrat. Rivka, die heute wieder in ihrem dunkelgrünen Hosendress erschien und ihr mittellanges schwarzes Haar, mit ersten grauen Haaren, in einen Pferdeschwanz zusammengebunden, nickte ihm mit kaltem und abgewandtem Blick zu. Der vollbärtige Yossi Cahen war kurzärmelig und in braunen Manchesterhosen gekleidet und trug Sandalen. Man witzelte unter den Studenten, dass, wären in einem Gruppenfoto des Kaders die Köpfe verdeckt, man Cahen trotzdem erkennen würde – nämlich da er seine Sandalen das ganze Jahr bei jedem Wetter trug. Er lächelte Dan zu und begrüßte ihn mit den Worten:

„Schalom Dan, was gibt's neues? Schön, dass du gekommen bist!" Die letzte Bemerkung machte er mit verschmitztem Gesicht, während Rivka eine Grimasse schnitt. „Was tut die jetzt so blöd? Es ist ja erst jetzt gerade elf Uhr", dachte Dan für sich und antwortete:

„Alles in Ordnung. Und bei dir?"

„Prima. Ein Haufen Arbeit. Ich muss noch eine Beige mit Artikeln von der Konferenz gutheißen, damit wir sie in einer Spezialedition publizieren können. Gerade nach der Prüfung habe ich dazu ein Auslandsgespräch. Deshalb schlage ich vor, dass wir Schlomi nun reinbitten und mit dem üblichen Prüfungsprozedere anfangen", bat Yossi und fragte: „Wo ist er eigentlich?"

Dan begab sich zur Tür und rief ihn herein. Er wurde gebeten, sich gegenüber dem Gremium hinzusetzen. Keshet hieß Schlomi offiziell willkommen und wünschte ihm viel Erfolg bei der Prüfung, wobei die Kollegen sich dem anschlossen. "Im Weiteren", erklärte er ihm: "Habe bitte keine Bedenken, dass wir dir Fangfragen stellen werden; im Gegenteil, wir möchten, dass du die Prüfung gut bestehst". Indirekt war diese Instruktion auch an Rivka gerichtet. Dan bat nun seinen Zögling in die Materie einzusteigen: „Bitte Schlomi, resümiere uns deine Masterarbeit in allgemeinen Zügen".

Schlomi fing an, in eindrücklicher Weise zu beschreiben, welche Materialsysteme er erforschte und welche Herstellungsprozesse er dazu verwendet habe. Er sprach wie am Schnürchen. Dan war zufrieden mit was er da hörte, und aus dem Blickwinkel glaubte er zu erkennen, dass auch Cahen zufrieden war. Von Rivka befürchtete er eine äußert kritische Haltung, aus verständlichen Gründen, aber das konnte er jetzt aus ihrem Gesicht nicht ablesen.

Nun wurde die Fragerunde der Kollegen eröffnet. Cahen fragte Schlomi, ob er die photochemischen Vorgänge der Kolloide durch die Halbleiterphysik erklären könne. Schlomi atmete zuerst tief durch und ging dann die Frage mit Erläuterungen zur Bandstruktur der Elektronenenergien an. Er beschrieb, dass dabei im Prinzip, durch des Beleuchten der Kristalle, also durch die absorbierten Photonen des Lichts, Elektronen ins Leitungsband befördert werden, wo sie sich dadurch frei, wie Fische im Wasser bewegen können – dabei sah er, dass Rivka schmunzelte. Er fuhr weiter:

„Etliche dieser mobilen Elektronen gelangen so an die Oberfläche des Teilchens, wo sie mit Wassermolekeln in Kontakt kommen und dadurch die Reduktion von H-Protonen in Wasserstoffgas erleichtert wird."

Nun intervenierte Rivka mit einer Frage:

„Du hast die Funktion der Elektronen richtig beschrieben. Gibt es sonst noch geladene Teilchen, die du beschreiben kannst?"

„Danke für die Frage, Rivka. Das wollte ich gerade ansprechen. Durch die Anregung der Elektronen, entstehen natürlich die positiven Löcher. Diese beiden Ladungen möchten sich gerne wieder vereinen, also rekombinieren, womit sie ihre photochemische Wirkung verlieren würden. Aber dadurch, dass die Elektronen an die Oberfläche wandern, werden diese Ladungsträger getrennt und die Chance zur Rekombination wesentlich verringert."

Rivka nickte anerkennend. Dan war sichtlich stolz auf Schlomi und fragte nun in die Runde, ob es noch Fragen gäbe. Beide, Yossi und Rivka verneinten dies, so dass Dan seinen Studenten entlassen konnte. Schlomi bedankte sich und verließ den Raum. Nun gingen die Drei daran, die Noten der These und der Prüfung im Konsensus unter einander zu bestimmen.

„Meine Damen und Herren, darf ich nun um ihre Bewertungen bitten?" lud Keshet die Kollegen auf, die diese inzwischen auf einem Formular markiert hatten. „Rivka, machst du bitte den Anfang?"

Rivka faltete ihre Stirn: „OK. Also für die schöne Masterarbeit von Schlomi gebe ich eine zweiundneunzig; einen Abzug machte ich, weil in den experimentellen Grafiken die Fehlerbalken fehlten, und für die Prüfung, die Schlomi wirklich gut abgelegt hat eine sechsundneunzig; hier etwas weniger als das Maximum, weil er meiner Meinung nach die Elektrodenanordnung nicht detailliert genug beschrieben hat."

Keshet war erleichtert und fühlte, wie sich sein Herzklopfen beruhigte. „Danke Rivka, und du Yossi?"

Yossi richtete sich im Stuhl auf und sagte mit ernster Miene: „Meine Bewertungen sind sehr ähnlich und ich finde auch, dass Schlomi ausgezeichnet abgeschlossen hat. Die Arbeit verdient eine vierundneunzig und die Prüfung eine Hundert. Die Abzüge bei der Arbeit kamen bei mir zustande, da ich fand, dass er der Wellenlänge des Lichts, also dessen Energie, zu wenig Rechnung getragen hat. Aber da es keine Dissertation ist, fällt dies weniger ins Gewicht. Bei der Prüfung hatte ich nichts auszusetzen, deshalb die Maximalnote."

„Ich bin eigentlich einer Meinung mit eurer Beurteilung und da meine Notenvorschläge sich um eure herum bewegen, schlage ich vor, dass wir ihm für die Arbeit eine vierundneunzig geben und für die Prüfung eine Hundert. Können wir dies als Noten im Konsensus festhalten?", schlug Keshet vor.

Fast wie im Chor, stimmten die beiden ein mit „Einverstanden, OK für mich."

Nun verabschiedeten sie sich und jeder ging seine Wege. Dan war ein Stein von der Brust gefallen. Es ging alles wesentlich besser, vor allem mit Rivka, als er erwartet hatte. Eigentlich hätte er für die Arbeit mindestens eine sechsundneunzig geben wollen, da er wirklich lange über der Arbeit seines Zöglings gesessen und etliche Korrekturen angebracht hatte, die Schlomi dann bereinigte. Aber es wäre unangemessen gewesen, dass er sich hier zu Gunsten seines Studenten aggressiv eingesetzt hätte.

Auch Rivka widmete der Prüfung und Dans Benehmen einige Gedanken. Auch sie war erleichtert, dass er sich korrekt und kollegial benommen hatte. Zwar hegte sie den Verdacht gegen ihn immer noch, dass er was mit dem Verschwinden der Laborhefte von Yiov zu tun hatte. "Aber das hat mit Schlomis Masterabschluss nichts zu tun, und es wär ja ungerecht den Studenten dafür zu bestrafen", dachte sie sich.

Kapitel 12

Das Telefon in Rivkas Office läutete, und sie nahm es ab. "Hallo?" sprach sie in den Hörer.

"Schalom Professor Bar Eithan. Es spricht Zwi vom Techtransfer. Hast du eine Minute Zeit?"

"Schalom Zwi, was gibt's neues?"

„Ich hätte da eine diskrete Bitte an dich. Wir haben vor einigen Tagen von Dr. Keshet ein Manuskript zur Patentierung seiner Arbeit erhalten. Bei einer ersten Suche gemäß den angegebenen Stichwörtern ist dein Name in einigen Artikeln erschienen. Beim Durchlesen dieser Artikel fand unser Sachbearbeiter gewisse Ähnlichkeit zum Manuskript von Keshet."

Rivka hörte aufmerksam zu, sagte aber bisher kein Wort. Deshalb fragte Zwi:

„Professor Bar Eithan, bist du noch am Apparat?" Rivka bejahte, und ermunterte Zwi, sie beim Vornamen zu nennen, und so fuhr Zwi fort:

„Deshalb die Frage: wärst du bereit, gelegentlich vorbeikommen, um den Text anzuschauen und uns zu erklären, welche Innovationen im Vergleich zu den bestehenden Publikationen im Manuskript enthalten sind?"

„Eigentlich ist es bei uns nicht üblich unter Kollegen Patenanmeldungen zu revidieren, es sei denn, der Kollege verlange es ausdrücklich. Aber fragt ihn doch mal direkt, inwiefern seine Erfindung weiter geht im Vergleich zu den erwähnten Artikeln", wies Rivka an.

„Siehst du Rivka, genau das haben wir gestern gemacht. Aber er reagierte erbost und war nicht kooperativ. Er meinte, dass er schon wisse, dass dies ein neuartiges Materialsystem und Verfahren sei und dass er es ja bereits erklärt habe. Aber unser Sachbearbeiter stimmt da nicht überein, deshalb möchten wir die Meinung eines zusätzlichen Experten einholen. Du kannst sicher sein, dass wir dies diskret behandeln."

„Also gut, ich komme morgen gegen Mittag nach meiner Vorlesung vorbei. Sagen wir um zwölf Uhr?"

„Abgemacht, bis morgen Rivka."

Rivka saß an ihrem Pult. Das vorangegangene Gespräch erinnerte sie unweigerlich an Yiov und dass sie ihn schon seit geraumer Zeit nicht im Labor gesehen hatte. Er schien das Verschwinden seiner Aufzeichnungen miserabel verdaut zu haben. Ob sie wohl jemand nach ihm schicken sollte, um sich nach seinem Wohlergehen zu erkundigen? Sie ging hinüber in ihre Labors, um nach ihren Studenten zu schauen. Dort fand sie Shulamit am Pult mit einem wissenschaftlichen Journal in der Hand.

„Guten Morgen Shulamit. Wie läuft's?"

„Guten Morgen Rivka. Eigentlich ganz gut. Ich lese gerade einen interessanten Artikel von der San Diego

Gruppe. Die erforschen Fotochemotherapie von Hautkrebs mittels Silberkolloiden. Wäre dies eventuell eine Forschungsrichtung für unsere Kolloide?"

„Tönt interessant Shulamit. Ich schlage vor, dass du uns darüber ein Kolloquium abhältst. Ich glaube, in zwei Wochen wäre gerade ein Termin frei. Schaffst du es bis dann?"

„Denke schon. Werde mich entsprechend vorbereiten", antwortete Shulamit.

„Prima. Übrigens, hast du heute Yiov gesehen?", erkundigte sich Rivka.

„Nein. Eigentlich habe ich ihn schon eine Weile nicht mehr gesehen. Wieso, was ist los mit ihm?" fragte Shulamit.

„Ich vermute, es geht ihm nicht gut. Seit dem Zwischenfall mit seinen Journalen, wirkt er deprimiert. Sag mal Shulamit, würdest du mir den Gefallen tun und im Studienheim nach ihm sehen?"

„Klar. Kein Problem. Ich gehe dann am späteren Nachmittag bei ihm vorbei."

„Vielen Dank, das ist sehr lieb von dir, Shulamit. Gib mir dann bitte Bescheid."

„Das versteht sich doch von selbst, Rivka."

Shulamit blieb nicht mehr viel länger im Labor und machte sich bald auf den Weg. Sie mochte Yiov. Er war ihr gegenüber zuvorkommend gewesen, als sie ihr Studium begonnen hatte, sei's mit Erklärungen zum Verständnis der Vorlesungen oder gar bei den ersten Laborversuchen. Nun hatte sich plötzlich das Blatt gewendet, und sie konnte ihm Hilfe anbieten.

Endlich war Shulamit beim Zimmer von Yiov angekommen und klopfte an. Sie hörte Schritte und die Tür öffnete sich. Da stand Keren und grüßte sie mit fragendem Gesicht. Die beiden hatten sich bereits vorher an einer Gruppenparty kennengelernt, wo auch die Lebenspartner eingeladen waren.

„Hallo Shulamit", sagte sie.

„Schalom Keren, wie geht es dir? Ist Yiov da?"

„Nein, er ist gerade weg, aber er sollte demnächst zurück sein. Möchtest du auf ihn warten? Komm doch rein. Ich mach dir einen Kaffee."

Shulamit verstand, dass Keren wirklich daran interessiert war, dass sie auf Yiov warten würde und offenbar auch das Gespräch suchte. Sie nahm die Einladung an und trat ein. Es war ein relativ großzügig angelegtes Studenteneinzelzimmer für Doktoranden, mit Stahlbett, Pult und Schrank und hatte sogar einen kleinen Balkon mit Sitzgelegenheit. An einigen der Wände waren Poster angebracht. Eines war ein schwarzweiß solarisiertes Bild von Jimmy Hendrix und ein anderes an der angrenzenden Wand war eine Vergrößerung vom Tempelberg von Jerusalem in der Abendsonne, welche die Kuppel des Felsendoms kupfern-goldig erstrahlen ließ. Shulamit setzte sich aufs Stahlbett, das in ein mit farbigen Kissen geschmücktes Sofa umfunktioniert worden war. Keren hantierte währenddessen am kleinen Gaskocher und bereitete türkischen Kaffee zu. Das Aroma drang schon angenehm in Shulamits Nase ein. Nun setzte sich Keren zusammen mit den dampfenden Kaffeetassen und einem Teller mit Biskuits neben Shulamit.

„Und wie geht es Yiov? Weißt du, Rivka und wir Studenten in der Abteilung machen uns schon etwas Sorgen um ihn. In letzter Zeit haben wir ihn kaum mehr gesehen."

Kerens Augen wurden nass: „Sein Zustand hat sich seit dem Zwischenfall stetig verschlechtert. Das bleibt unter uns, ok? Weil er sich über seinen Zustand schämt. Heute ist er immerhin zur Psychologin gegangen. Aber bitte, Shulamit, sprich bitte mit niemandem darüber auch mit ihm nicht - er würde es mir nicht verzeihen. Anfänglich hat er seine Krankheit sogar vor mir verschwiegen, und erst in letzter Zeit erzählte er mir, dass er Psychopharmaka einnimmt. Diese wirken gar nicht schlecht, wenn er sie regelmäßig einnimmt."

„Sicher Keren, ich bleibe stumm wie ein Fisch. Danke, dass du mir vertraust. Ich wusste gar nicht, dass es so schlimm um ihn steht. So ein armer Kerl!" sagte Shulamit und nun waren ihre Augen auch glänzend geworden.

Dann öffnete sich die Türe und Yiov trat ein. Man sah ihm an, dass er durch die sengende Hitze marschiert war. Der Schweiß rann ihm übers Gesicht und hatte sein hellblaues Hemd genässt, das nun mit dunkelblauen Flecken bemustert war. Er entschuldigte sich und ging ins Badezimmer, um sich zu erfrischen. Als er zurückkam, begrüßte er die beiden Frauen und wandte sich an Shulamit:

"Und was bringt mir die Ehre?"

Shulamit hatte beschlossen direkt zur Sache zu kommen:

„Schön dich zu sehen, Yiov. Wie geht es dir? Und wie geht es deiner These?"

„Shulamit, bist du hier im Auftrag von Rivka?"

Den Vorwurf in seiner Frage heraushörend, fühlte Keren, intervenieren zu müssen:

„Also Yiovi, bitte, sie meinen es ja wirklich alle nur gut mit dir!"

„Na gut, du kannst ihr bitte ausrichten, dass ich es mir nun definitiv überlegt habe. Ich habe wirklich keine Lust, die ganze Arbeit neu zu machen. Ich habe beschlossen, auszusteigen. Ich werde mir einen Job in der Industrie suchen", platzte Yiov raus.

„Also, das finde ich so schade, wo du so innovative Forschung gemacht hast. Überleg's dir doch vielleicht nochmals. Kann ich dir dabei behilflich sein?"

„Vielen Dank, Shulamit, das ist wirklich nett von dir. Aber es hat doch keinen Zweck. Das Ganze zu rekonstruieren braucht im Minimum ein Jahr, wenn nicht mehr, und diese Zeit will ich nicht verschwenden", sagte Yiov mit Nachdruck.

„Wenn du dich definitiv entschlossen hast, wird Rivka das sicher respektieren, aber ich glaube, du solltest ihr das schon selber sagen, meinst du nicht?"

„Du hast Recht – ich werde es ihr selber ankündigen. Also sag' ihr bitte nichts."

Rivka marschierte um viertel vor zwölf vom Chemiegebäude Richtung Eingang, um wie abgemacht pünktlich zum Office des Techtransfers zu gelangen. Es war ein angenehm kühler Tag, der den Herbstanfang erahnen ließ; der Wind brachte die Bäume in leichtes Schwanken, und hie und da wirbelten die Blätter vom Boden auf. Rivka war dankbar hier an der Uni wirken zu dürfen. Sie hatte ihren Bachelor damals an der Tel Aviv Uni gemacht; das heiß-feuchte Klima in Meeresnähe hatte sie verabscheut. Hier war das Klima trocken und dank der Höhe der Judäischen Berge wesentlich milder, ausgenommen die berüchtigten Cham-Sin Tage, an denen die brütend heißen Wüstenwinde aus dem Osten her wehten.

„Schalom Tova, ich bin mit Zwi verabredet."

„Ja, ich weiß Professor Bar Eithan, Zwi erwartet dich bereits in seinem Büro. Das letzte hinten links."

Zwi empfing sie mit dem üblichen Kaffee Angebot, jedoch Rivka zog ein Glas kaltes Wasser vor. Dann legte Zwi das Manuskript von Keshet ohne Worte auf den Konferenztisch. Rivka zog es zu sich, legte ihre schwarzumrahmte Lesebrille auf und vertiefte sich in die Materie. Zwi beobachtete, wie Rivka stumm an gewissen Stellen abwechslungsweise ihre Augen aufsperrte, die Stirne faltete und den Kopf schüttelte. Dann nach einigen Minuten des Lesens hob sie den rot angelaufenen Kopf, schaute Zwi ernst in die Augen und gab von sich:

„Das ist ja unglaublich. Dieser Keshet scheint Yiovs Arbeit, also die meines Doktoranden, ganz einfach kopiert zu haben!"

Zwi schien völlig überrascht und starrte sie an, dann sagte er in leisem Ton:

„Bist du dir ganz sicher? Denn das würde ja heißen, dass Dr. Keshet sich eines Plagiats und Diebstahl von geistigem Eigentum schuldig gemacht hätte. Das müsstest du beweisen können".

Rivka zögerte einen Augenblick und stellte dann folgendes fest: „Hör zu, vor etwa zwei Monaten hatten wir in unserer Gruppe einen ungewöhnlichen Zwischenfall. Yiov meldete mir das Verschwinden seiner Laborjournale und seitdem sind sie nicht wieder aufgetaucht. In den Laborjournalen war seine ganze Forschungsarbeit der letzten drei-vier Jahre."

Zwi unterbrach sie und fragte: „Und du meinst...?"

„Ja, genau, Zwi. Ich kenne die Arbeit meiner Studenten bestens, versteht sich, und jetzt wo ich Dans Manuskript gelesen habe, bin ich mir fast hundert Prozent sicher, dass das Yiovs Versuche und Resultate sind."

„Und wie willst du das beweisen?" fragte Zwi und war gespannt, was Rivka dazu zu sagen hatte.

„Leicht wird es nicht sein, aber ich sehe da zwei Möglichkeiten: Erstens könntest du Yiov bitten, ohne meine Präsenz versteht sich, dir über seine Arbeit und Neuentwicklungen zu erzählen. Er weiß ja nichts von Dans Eingabe, und da würdest du dich überzeugen können, dass seine Ausführungen mit Dans Vorlage haargenau übereinstimmen."

Rivka schaute Zwi erwartungsvoll an. Er hatte da so seine Bedenken:

„Ich bin mir da nicht so sicher, ob das genügen würde. Es wäre sicher ein starkes Indiz, aber bedenke, Rivka, hier steht ein Schriftstück von Keshet eurer mündlichen Aussage gegenüber".

Rivka nahm das Manuskript von Keshet nochmals zur Hand und blätterte es rasch durch – sie schien beim Lesen gleichzeitig nachzudenken. Dann schaute sie wieder auf und sagte:

„Zwi, schau mal diesen Abschnitt an. Genau über diese Verfahren und Resultate haben Yiov und ich einen Artikel zur Publikation in Arbeit. Diesen könnte ich dir vorlegen. Ich lasse ihn dir nach unserer Besprechung sofort zukommen".

Zwi war es unangenehm, als er ihr mit einem zusätzlichen Einwand erwiderte:

„Das wäre eigentlich schon gut, aber verstehe ich richtig, dass ihr ihn noch nicht eingeschickt habt? Kennt sonst noch jemand diesen Artikel?"

Rivka rutschte ungeduldig auf ihrem Stuhl herum. Zwi machte sie langsam verrückt mit seinen Bemerkungen. Dann plötzlich rief sie ungehalten aus:

„Was für ein Dummkopf bin ich doch! Hat dir Dan seine Laborjournale überhaupt vorgewiesen? Oder die seiner früheren Studenten? Momentan hat er ja nur einen Masteranden, der gerade abgeschlossen hat. Den habe ich gerade kürzlich geprüft und das Thema und den Inhalt seiner Arbeit kenne ich deshalb recht gut. Da gibt es keine direkte Relevanz."

„Nein, die hat er nicht gebracht, und ich habe sie auch nicht verlangt. Das machen wir normalerweise nur bei einem Patentstreit."

„Eben, den haben wir ja jetzt. Ihr müsst deshalb von Dan verlangen, dass er die Resultate belegen kann. Aber Moment mal, wir sollten da vorsichtig vorgehen. Warte vorerst mal ab. Sprich vorläufig mit niemandem darüber, vor allem nicht mit Dan selber. Ich werde mich mit dem Dekan beraten, wie wir vorgehen sollten".

„Das finde ich eine gute Idee. Halte mich bitte auf dem Laufenden", sagte Zwi das Gespräch abschließend.

Kapitel 13

Yiov setzte sich auf einen Stuhl im winzig kleinen Wartezimmer. Er war einige Minuten zu früh für seinen Termin. Er kannte bereits den Vorgang für Frühkommer oder Verzögerungen. Amalia Tal, seine Psychologin hatte ihre Patienten jeweils gebeten, dort zu warten und die Türe hinter sich zu schließen, bis sie sie persönlich abholte, um zu vermeiden, dass sie einander beim Hinein- und Hinausgehen begegneten, aus Diskretionsgründen, versteht sich. Es war düster im Raum, der durch eine kleine Luke beleuchtet wurde, die unter der Decke angebracht war. Neben dem kleinen Tischchen gab es eine Stehlampe, die er anknipste. Er blätterte in einigen verknitterten Magazinen, bis er in einem Frauenjournal an einem Artikel über die weibliche Sexualität hängen blieb. Es faszinierte ihn zu erfahren, ob er da noch was unbekanntes erlernen könnte. Er hatte zu diesem Thema alles zusammen mit Keren von Grund aus erlernen müssen, weil er im Internat dazu kaum was erfahren hatte. Da öffnete Amalia die Tür und lud Yiov ein, ihr ins Behandlungszimmer zu folgen. Er fand es etwas schade, dass er den Artikel nicht fertig lesen konnte.

Amalia eine etwa vierzig jährige ernst drein schauende Dame mit dunkelbraunem Haar trug ein schottisches Faltenjupe und eine graue Bluse mit weißen Tupfen. Sie hatte an der Hebräischen Uni den professionellen Werdegang mit Bachelor in allgemeiner Psychologie und Master für klinische Psychologie durchgemacht. Danach hatte sie ihr Praktikum bei einem bekannten Psychologen während zwei Jahren für einen Hungerlohn gemacht. Aber heute hatte sie schon seit vielen Jahren ihre private Praxis und hatte alle ihre Schulden getilgt.

Sie wies Yiov per Handgeste an, sich auf den Lehnstuhl zu setzen, und sie tat das gleiche auf ihrem Fauteuil gegenüber. Hinter ihr an der Wand hing eine Pendule, die tickte, im Takt tickte und Yiovs Aufmerksamkeit auf sich zog.

"Schalom Yiov, wie geht es uns heute?", leitete sie die Sitzung ein.

"Danke Amalia. Könntest du bitte die Pendule abstellen?"

"Ah ja, entschuldige bitte, habe ganz vergessen, dass es dich stört", worauf sie aufstand, das kleine Glasfensterchen öffnete und das Pendel sanft anhielt.

"Wie steht es mit deiner Forschung? Das letzte Mal hast du mir von deinen Entdeckungen erzählt. Das hat mich sehr gefreut für dich!" Amalia versuchte mit dieser Frage, durch die Methode der indirekten projektiven Erfassung, an Yiovs psychischen Zustand zu gelangen.

"Es ist alles im Eimer", sagte Yiov in unterdrücktem Ton und schwieg dann trotzig.

Amalia sperrte kurz ihre Augen auf und sah ihn fragend an. Nach einer Weile rückte er langsam mit den Geschehnissen der letzten Wochen heraus.

"Oh, das tut mir aber leid. Und was für einen Plan hast du, dein Doktorat zu beenden?" versuchte sie ihn auf positive Bahnen zu lenken.

"Ich mag nicht mehr. Es ist mir alles verleidet. Was für einen Zweck hat es denn noch?" Yiovs Gesicht verzerrte sich und dann brach er in ein jammerndes Weinen aus, wobei sich sein ganzer Körper schüttelte. Amalia ließ ihn seinen Stress ausleben und betrachtete ihn mit einem mitfühlenden Lächeln. Nachdem er sich langsam beruhigt hatte, fragte sie ihn:

"Wie steht es mit deiner Medizin? Nimmst du sie regelmäßig ein?"

"Meistens schon..." meinte Yiov zögernd. Amalia verstand, dass er andeutete, seine Psychopharmaka nicht alltäglich zu sich zu nehmen. Sie appellierte deshalb an seine Motivation. Er versprach sich diesbezüglich zu verbessern. Sie fragte ihn darauf, ob er seine Lebenspartnerin über seinen Zustand ins Bild gesetzt habe, was er bejahte, mit der Bemerkung, dass Keren es ja selber sehe. Dann erklärte sie ihm, dass es für seine Beziehung zu Keren gut sei, mit ihr offen darüber zu sprechen und fügte an:

"Ich würde vorschlagen, dass du sie fragst, ob sie bereit wär, in einem der nächsten Treffen mitzukommen und teilzunehmen. Wär das für dich OK?"

"Ja, wenn du meinst. Ich werde sie fragen."

Wie immer vergingen die fünfzig Minuten im Nu und Amalia beendete die Sitzung.

Amalias Praxis war im Beit Hakerem Quartier gelegen, und so beging Yiov die bekannte Abkürzung durchs Wadi Richtung Givat Ram Campus. Da erinnerte er sich, dass Schlomi ihm mal erzählt habe, dass Keshet in diesem Quartier wohne und ebenfalls pflege diesen Weg zu nehmen. Er habe ihn mal auf Dans Einladung hin heim begleitet. Yiov hatte durch Rivkas und Schlomis Andeutungen den Verdacht gegen Keshet immer noch gegenwärtig. Ob er ihn wohl aufsuchen sollte, um ihn direkt auf seine Laborhefte anzusprechen? Hingegen die abwegige Idee, die in ihm aufkam, in Dans Wohnung in dessen Abwesenheit einzudringen, verdrängte er sofort wieder. Auch wusste er ja dessen genaue Adresse sowieso nicht. Schlomi hätte sie wahrscheinlich, aber der würde ihm ja sicher von einem Besuch bei Keshet abraten.

So in Gedanken vertieft, durchquerte er nun den Campus bis zum Studentenheim. Keren erwartete ihn bereits und hatte ein leichtes Abendbrot zubereitet. Diesmal hatte sie Malawach, das Jemenitische Fladenbrot aus Blätterteig in der Pfanne gebraten und servierte dazu geriebene Tomaten, harte Eier und daneben die scharfe Zhug Paste. Die letztere gilt es mit Vorsicht zu genießen, will man sich keine Zungen- und Rachenbrennen einholen. Keren war sich dies selbstverständlich von zuhause gewohnt, und Yiov hatte inzwischen auch den Geschmack dafür entwickelt. Als er das erste Mal bei der Familie Kerens zu Besuch war, hatte er damals seinen Mann gestanden und eine beträchtliche Menge Zhug aufs Brot gestrichen, was ihm den Respekt ihrer Brüder eingebracht hatte.

"Wie war deine Sitzung heute?" fragte Keren am Malawach kauend.

"Ich habe Amalia vom Zwischenfall an der Uni erzählt und von meiner Absicht, das Studium aufzugeben."

"Und, hat sie dich davon abbringen können?" sagte Keren mit Zuversicht.

"Nein, sowas machen diese Psychologen meist nicht. Aber am Schluss bat mich Amalia, bei dir zu erkundigen, ob du bereit wärst, an einem der nächsten Treffen teilzunehmen. Was sagst du dazu?"

"Ja, wenn sie das möchte, dann käme ich natürlich schon mit."

Kapitel 14

Die Türe zum Dekanat war offen, als Rivka eintrat. Sie ging wie üblich zuerst durchs Sekretariat, das zum Büro von Nathan Haham führte, grüßte Nizza, welche ihr durch ein freundliches "Guten Morgen" den Weg frei gab. Bei andern Besuchern wäre Nizza da nicht so leger vorgegangen und hätte diese zuerst eine Weile warten lassen. Nathan, der melierte, großgewachsene Professor ging ihr entgegen und begrüßte sie strahlend mit zwei Wangenküssen. Sie setzten sich auf die Sofagruppe, und nachdem Nizza ihnen auf Anfrage hin einen Krug mit Wasser und Gläser hereingebracht hatte, fragte Nathan bei geschlossener Tür, was sie auf dem Herzen habe.

"Natan, das ist eine äußerst prekäre und diskrete Sache", fing Rivka ihre Erklärungen an. "Du wirst es kaum glauben - ich wollte es zuerst ja selber nicht - und deshalb, Natan, lasse mich die Entwicklungen dieser Affäre im Detail vortragen".

"Rivka, eine Affäre? Jetzt hast du mich aber neugierig gemacht. Ich werde dir mit größter Aufmerksamkeit zuhören", beruhigte sie Nathan.

Rivka schoss los mit einer natürlichen Mischung aus Entrüstung und objektiven Schilderungen der Ereignisse, auch unter Zuziehung von Zweifelsmomenten, wo ihr diese notwendig erschienen, währendem Nathan sie intensiv beobachtete und periodisch mit dem Kopf nickte. Gelegentlich unterbrach er sie mit Zwischenfragen:

„Sag mal Rivka, wer alles hat von diesem Vorfall Kenntnis? Und glaubst du, Dan ahnt, dass ein Verdacht gegen ihn vorliegt?"

Rivka versprach ihm alle seine Fragen bestmöglich zu beantworten, aber jetzt möchte er sie doch bitte ausreden lassen, damit sie keine wichtigen Details vergessen werde. Sie strich mit ihren Fingern über frei gewordene Haarsträhnen, beförderte diese hinter die Ohren und erzählte ihm nun vom Patentvorschlag Keshets beim

Techtransfer und dass Zwi sie als Expertin zu Rate gezogen habe. Beim Durchlesen des Texts wäre ihr sofort klar geworden, dass dies ja Yiovs Arbeit sein müsse. Inzwischen hätte sie Zwi gebeten, vorläufig Keshet im Dunkeln zu lassen und abzuwarten, was er, Nathan, beschließe.

„Nathan, was meinst du, wie sollen wir die Sache angehen?", fragte Rivka am Ende ihrer Ausführungen.

„Also Rivka, das ist mir eine Geschichte. Der arme Yiov, wie geht es ihm übrigens? Genau wie du sagtest, wir sollten äußerst vorsichtig und diskret vorgehen. Ich werde die Sache mit dem Rektor besprechen müssen, denn wir wollen ja schließlich den guten Namen unserer Uni nicht beflecken. Eine mir passend erscheinende Möglichkeit, die ich gedenke vorzubringen, wäre gegen Dan ein Disziplinarverfahren einzuleiten. Aber dazu müssten wir klare Beweise haben. Stell dir vor, er könnte womöglich seine Patenteingabe experimentell belegen, dann würde er dich eventuell noch wegen Verleumdung einklagen."

"Also, meinen Vorschlag zur Beweisaufnahme habe ich dir ja bereits erläutert. Die Frage ist bloß, wie bringen wir Dan dazu, seine eigenen Forschungsaufzeichnungen zu präsentieren, die er meines Erachtens ja gar nicht besitzt? Wenn wir ihn brüskieren, dann macht er womöglich noch eine Kurzschlussaktion."

"Da hast du ganz Recht. Wenn wir ihm genügend Zeit lassen, könnte er – in der Annahme, dass Yiovs Laborhefte tatsächlich in seinem Besitz sind - davon in seiner eigenen Handschrift eine Kopie anfertigen und diese als sein eigenes Werk herausgeben", gab Nathan zu bedenken, wobei er mit seinen Fingern aufs Pult trommelte. „Wir haben nicht viel Zeit – ich werde versuchen noch heute, aber spätestens morgen, bei Motti eine Audienz zu kriegen."

Damit war ihre Unterredung vorläufig beendet, und als Rivka bereits am Herausgehen war, drehte sie sich nochmals um und bemerkte:

„Du hast mich ja vorhin nach Yiovs Zustand gefragt. Also, der ist total deprimiert und denkt daran, sein Doktorat aufzugeben. Also, bitte Nathan, wir können unsere Studenten doch nicht einfach hängen lassen."

„Ist doch klar, Rivka, auf keinen Fall! Ich halte dich auf dem Laufenden. Auf Wiedersehen."

Rivka schritt den Weg zwischen den beiden Chemie Gebäuden rasch ab und als sie in ihr Büro trat, saß dort Yiov.

„Oh Yiov, was für eine gute Überraschung, dich endlich wieder mal zu sehen!" begrüßte sie ihn freudig, obwohl sie ihm ansah, dass er in einem erbärmlichen Zustand war. Er erschien ihr wie zusammengeschrumpft. "Wie geht es dir?" fragte sie ihn dennoch.

„Also ehrlich gesagt nicht sehr gut. Ich danke dir, dass du Shulamit vorbeigeschickt hast."

„Das ist doch selbstverständlich, und sie wollte es ja selber auch."

„Rivka, ich muss dir was mitteilen. Ich habe beschlossen, das Doktorat aufzugeben, mich pflegen zu lassen und dann mir eine Industriestelle zu suchen."

Rivka schaute auf und betrachtete ihn mit ihren gutmütigen Augen. Dann antwortete sie: „Yiov, ich verstehe deine Frustration ja bestens. Aber ich darf dich diskret informieren, dass wir eine Untersuchung einleiten werden, und darin brauchen wir dich als Zeugen. Ich sprach bereits mit dem Dekan. Also, das ist der denkbar ungünstigste Zeitpunkt, jetzt aufzugeben. Bitte schlafe doch nochmals darüber!"

Yiov war ihr dankbar, dass sie sich für ihn einsetzte, aber sein Entscheid war fest. Jedoch wollte er sie nicht brüskieren und sagte deshalb zu, sich die Sache überlegen zu wollen. Doch ganz hatte er nicht verstanden, was Rivka mit einer Untersuchung meinte und fragte sie danach.

„Also, was ich dir hier erzähle, ist streng geheim. Es darf niemand außer dir was davon erfahren, sonst ist alles vergebens. Siehst du, Yiov, Keshet hat eine Patentanmeldung gemacht, und ich habe sie zu Gesicht gekriegt. Das Material darin hat mich haargenau an deine Arbeiten erinnert. Es ist deshalb der Verdacht aufgekommen, dass deine Aufzeichnungen in Dans Hände geraten sind."

"Aha, der Gedanke, dass dieser Keshet was mit der Sache zu tun hatte, hatte ich bereits!", fuhr Yiov dazwischen.

„Eben", fuhr Rivka fort, „und nun mit seiner Patentanmeldung hat sich eine Untersuchungsrichtung ergeben, die wir verfolgen werden. Also bitte, bereite dich darauf vor, dass du in den nächsten Tagen aufgerufen werden wirst, über deine Forschung auszusagen."

Yiov nickte und diese Entwicklung schien ihm Mut gegeben zu haben. Rivka dünkte es, als ob er wieder etwas Farbe in sein Gesicht gekriegt hätte.

„Gut Yiov, bitte halte dich zur Verfügung. Inzwischen bitte strikte Geheimhaltung. Bitte erwähne auch Schlomi gegenüber nichts. Wie können wir dich erreichen, damit du das Aufgebot erhalten wirst?"

„Am besten legt man es mir in mein Postfach. Ich oder Keren werden täglich vorbeischauen".

Kapitel 15

Dan war etwas erstaunt und beunruhigt zugleich, dass er von Zwi noch nichts gehört hatte. Es war nun bereits zwei Wochen vergangen, seit er die Anmeldung eingegeben hatte. Er hatte erwartet, dass ihm das Techtransfer innerhalb weniger Tage, die Eingabe ans Patentamt bestätigen, oder zumindest erste Korrekturen und Ergänzungen vorschlagen würde. Also griff er zum Hörer und wählte Zwis Nummer an. Er erkannte Tovas Stimme und fragte sie nach Zwi. Er sei gerade an einer Besprechung, ob er ihn zurückrufen dürfe. „Ja gerne", kam seine etwas unzufriedene Antwort raus, „aber bitte auf meiner Heimnummer". Tova notierte sie auf dem Zettel mit der Nachricht.

Es musste eine gute Stunde vergangen sein, als es bei Dan klingelte. Er war gerade in der Küche, bereitete sich eine Omelette zu und rannte zum Apparat im Arbeitszimmer. „Hallo? Wer ist das?" Es war Zwi, der am Apparat war:

„Hallo Dan, danke für den Anruf. Ich nehme an, du möchtest über den Stand deiner Anmeldung informiert werden?"

„Ja, genau Zwi – es ist ja nun bereits zwei Wochen her. Wie ist der Stand der Dinge? Ist da was, bei dem ich helfen kann?"

„Ich wollte dich demnächst selber anrufen. Wir haben bei der Patenrecherche unglaublich viele Hits gekriegt, die zu deiner Arbeit relevant erscheinen. Wir resümieren gerade alle diese Befunde und möchten sie mit dir besprechen. Ich denke morgen könnten wir das alles zusammen haben. Kannst du morgen, um die halb Elf zu mir kommen?"

Dan antwortete positiv, nachdem er Zwi gebeten hatte, ihn seinen Terminkalender konsultieren zu lassen. Dies tat er, obwohl er genau wusste, dass er nichts vorhatte an diesem Tag.

„Also, abgemacht!" beendete Zwi ihr Gespräch.

Nun griff Zwi selber nochmals zum Hörer und rief Nathan an, der ihn instruiert hatte diesen Vorgang zu befolgen. Nathan hatte von Motti, dem Präsidenten der Uni dazu grünes Licht erhalten:

„Guten Morgen Nathan, wie geht's?"

„Ausgezeichnet, Zwi. Und dir? Hast du inzwischen wie abgemacht mit Dan gesprochen?"

„Ja, Nathan, das hat sich von selbst ergeben, da Keshet mir zuvor gekommen ist. Er war einverstanden, morgen bei mir um halb elf zu erscheinen."

„Bestens Zwi, dann werden Rivka und ich da sein! Bis dann!"

„Vielen Dank Nathan, bis dann."

Dan Keshet war nach seinem Gespräch mit Zwi noch beunruhigter als zuvor. Irgendetwas roch faul. Haben Rivka und Yiov sich im Geheimen beklagt? Er musste vorsichtig sein, weil wenn man die Laborjournale bei ihm finden würde, dann guten Abend.

„Eigentlich brauche ich die Hefte ja gar nicht mehr. Ich habe mir ja die wichtigsten Befunde notiert. Ich muss sie unbedingt wieder loswerden!" dachte er sich. Dann schmiedete er seinen ziemlich einfachen Plan, um das Beweismaterial zu zerstören, ohne Spuren zu hinterlassen. Er grillierte gerne in der Natur, und deshalb plante er, in der Nacht im Wadi ein Feuer anzufachen, einige Würste zu braten und die Journale als Brennmaterial zu verwenden. "Ja, das ist eine prima Idee, da kann ja nichts schiefgehen!"

So zog er gegen Abend los, mit einem Rucksack auf dem Buckel, wo er alles verstaut hatte, die schweren Dokumente, die bereits aufgeschlitzten Würste und eine Decke, damit er darauf absitzen konnte. Er fand ein diskretes Plätzchen, abseits des Weges neben einigen Pinien, legte den Ballast auf die Decke und fing an, einen beachtlichen Kreis mit Felsbrocken anzulegen, um dem geplanten Feuer Einhalt zu bieten. Dann sammelte er Äste und Zweige, ordnete diese konisch zu einem Gerüst; darunter legte er Zweige und mehrere zerknitterte Seiten, die er aus den Heften rausgerissen hatte. Zufrieden mit der Brennanordnung, warf er ein brennendes Streichholz hinein. Dan fluchte, als es erlosch, wegen des Windes der durchs Tal wirbelte. Dann endlich nach einigen Versuchen entfachte sich das Feuer. Jetzt half der Wind den nötigen Sauerstoff anzuliefern, und Dan sah dem Spektakel zufrieden zu. Als das riesige Feuer mehrere Meter nach oben loderte, warf er die Laborhefte, eins nach dem andern hinein. Jetzt wo diese bereits am Veraschen waren, ergriff ihn einen gewaltigen Lachkrampf, und er fing an, rund ums Feuer zu tanzen – es mutete an, wie in einem Hexentanz. Die Würste schmeckten ihm an diesem Abend besonders gut, und ihr Saft floss ihm in sein Bärtchen.

Am nächsten Morgen war Dan früh aufgestanden, hatte geduscht und gefrühstückt, denn er wollte pünktlich im Techtransfer erscheinen. Zwis Ausführungen über sogenannte Befunde anderer Patentanmeldungen hatten ihn neugierig gemacht. "Da werde ich schon zurechtkommen, mit der Zurückweisung der Argumente dieser andern Anmeldungen", dachte er sich, "da haben sich die Patentanwälte im Techtransfer sicher getäuscht. Die verstehen ja kaum was vom Thema, und da werde ich sie eines Besseren belehren können". Um zehn nach Zehn machte er sich auf den Weg durchs Wadi, und als er nicht weit von der nächtlichen Feuerstelle vorbeikam, roch er noch den Geruch des Verbrannten Holzes und ein Lächeln stieg in sein Gesicht. Er kam etwa fünf Minuten zu früh zum Office, wartete draußen noch etwa zwei Minuten und trat ein. Tova wies ihn in Zwis Büro, welcher ihm entgegen kam und freundlich anwies, dass man die Besprechung im Konferenzzimmer durchführe, wo man bereits auf sie wartete. Zwi ging voran.

Als sie eintraten, saßen dort Nathan und Rivka, und Dan sperrte seine Augen angelweit auf und rief aus:

„Mein Gott, was soll das Ganze? Wer hat euch zu diesem Treffen eingeladen?"

Dan protestierte, dass er mit diesem Vorgehen nicht einverstanden sei und machte Anstalten, umzukehren und den Raum zu verlassen. Da stand aber ein Sicherheitsmann der Uni und versperrte ihm den Ausgang. Nun intervenierte Nathan und bat ihn, in seinem eigenen Interesse abzusitzen und sich anzuhören, was sie ihm mitzuteilen hätten. Widerwillig mit wütigen Augen gab er nach. Nachdem sich Dan gesetzt hatte, fing Nathan an:

„Höre mal Dan, was ich dir mitzuteilen habe, ist für mich nicht einfach, und es geschieht nach langen Überlegungen und Nachforschungen."

Dan unterbrach ihn: "Was soll diese Falle? Das finde ich wirklich nicht kollegial. Du hättest mich doch zuerst persönlich sprechen können! Und was macht Rivka hier?"

"Dan, darauf komme ich jetzt gerade. Also, bitte Dan, lass mich bitte ausreden. Es ist echt wichtig, dass du mir gut zuhörst, ok?" Nathan schaute Dan direkt in die Augen und Dan nickte und gab ein Handzeichen, weiterzufahren.

„Schön. Das Ganze hat damit angefangen, dass Yiov Matzok vor einigen Wochen gemeldet hat, dass seine Laborjournale verschwunden sind und dass nach gründlichem Suchen, diese nicht wieder aufgetaucht sind. Ich nehme an, du hast davon gehört."

Dan brauste auf: „Und was soll das mit mir zu tun haben?"

Nathan blieb ganz ruhig: „Siehst du Dan, relativ kurze Zeit nach dem Verschwinden hast du eine Patentanmeldung gemacht und die ist gemäß Zeugenaussage von Yiov und Rivka ziemlich deckungsgleich mit der Arbeit von Yiov."

Keshet rutschte unruhig in seinem Stuhl umher und behauptete dann schreiend: „Dazu habt ihr ja gar keine Beweise. Das ist totale Verleumdung!"

Da fuhr Rivka dazwischen: „Dan, wie konntest du sowas tun? Das ganze Doktorat von Yiov zu sabotieren. Hast du mit ihm gar kein Mitleid?"

„Ich wusste ja augenblicklich, dass du dahinter steckst. Du wolltest ja schon immer meine Karriere zerstören. Und jetzt hast du auch noch Nathan hineingezogen", sagte er nun etwas kleinlaut.

Nathan ignorierte Dans Anspielungen und übernahm wieder das Zepter: „Du sprachst soeben von Beweisen. Da hast du völlig Recht. Dazu gibt's folgende Tatbestände. Erstens finden wir Yiovs Aussage glaubwürdig, denn als er diese machte, hatte er deine Patentanmeldung noch nicht zu Gesicht bekommen. Daneben hat Rivka über ihre Arbeit einen noch nicht publizierten

Artikel vorgelegt, der ebenfalls mit Teilen deiner Vorlage genau übereinstimmt. Woher soll sie denn deine Arbeit so genau kennen?"

Nathan beobachtete Dan genau und ließ ihm Zeit, Stellung zu nehmen. Dan wurde rot um den Hals herum und begann zu schwitzen. Dann kam er mit einer neuen Vermutung heraus:

„Das muss Schlomi gewesen sein. Der war ja ein Freund von Yiov. Die haben da ständig zusammen Würste gegrillt. Der hat ihm doch alles ausgeplappert. Er hat es mir ja selber gesagt."

Nun fuhr Rivka wieder dazwischen: „Also Dan, jetzt ziehst du noch deinen eigenen Studenten in den Dreck. Kennst du eigentlich keine Grenzen?"

„Was geht das dich denn überhaupt an? Kümmere dich lieber um deine eigenen Angelegenheiten, du gemeines Luder!" schrie Dan nun ungebändigt.

„Dan, ich bitte dich. Sprich anständig zu uns, das ist in deinem Interesse. Du wirst dich jetzt bei Rivka entschuldigen. Und was Schlomi betrifft, ahnten wir, dass du ihn beschuldigen könntest. Deshalb haben wir ihn schon vernommen. Seine Aussage widerspricht klar deiner. Er habe tatsächlich mit Yiov über seine eigene Arbeit gesprochen. Jedoch über deine von dir ausgeführten Arbeiten habe er nichts gewusst, da du ihn darüber nicht eingeweiht hättest".

„Also, Nathan, jetzt geht ihr auch noch hinter meinem Rücken und stachelt meinen Studenten gegen mich auf!" Dan war wie aus dem Häuschen.

„Dan, du weißt ja, dass ich Schlomis Arbeit von der Abschlussprüfung her kenne. Da gibt's keine Relevanz", ergänzte Rivka.

Nathan hatte Rivka zugenickt, wendete sich wieder an Dan, atmete ruhig und tief durch und fuhr weiter: „Dan, du scheinst die Situation noch nicht begriffen zu haben. Es steht schlecht für dich. Die einzige Rettung, die du hast, ist wenn du anfängst zu kooperieren. Ansonsten wir die Polizei benachrichtigen müssen und einen Haftbefehl gegen dich ausstellen. Deshalb rate ich dir, es uns zu ermöglichen, die Sache Uni-intern zu regeln."

Dan Keshet schwieg jetzt und schaute auf seine Knie, die anfingen zu zittern. Nach einer Weile des Schweigens, fragte er dann: „Was wollt ihr von mir? Wie kann ich helfen?"

Der Dekan hatte Keshets Zittern mitbekommen und dachte, dass er jetzt den Druck aufrechterhalten musste. „Dan, bitte retourniere die Laborjournale von Yiov. Dann lässt sich alles zum Besten regeln."

„Die habe ich wirklich nicht!" schoss Keshet überzeugt heraus.

„Bist du sicher, Dan? Denn sonst müssen wir dein Büro beschlagnahmen!" sagte Nathan nun in strengem Ton, und fuhr weiter: „Bei dieser Gelegenheit wirst du uns auch deine eigenen Laborjournale vorweisen, mit denen du beweisen musst, dass deine Patenteingabe keine Fälschung ist."

Keshet schwieg und blickte für eine Weile auf seinen Schoß, und dann fing er plötzlich an zu schluchzen. Anfänglich kaum hörbar und dann heftig, am ganzen Körper zitternd. Rivka betrachtete ihn zuerst entsetzt und dann mit Mitleid. Nathan versuchte ihm zuzureden, dass er sich beruhigen und zur Sache sprechen solle. Als Dans Weinanfall abklang, begann er stotternd zu sprechen:

„Meine verdammte Krankheit…ich verliere die Kontrolle…ich geb's ja zu."

„Was gibst du zu, Dan?"

Dan zögerte nochmals und sagte dann: „Ich hab sie entwendet, die Laborjournale….es tut mir leid…ich wollte das gar nicht, aber irgend eine diabolische Macht hat mich dazu gezwungen…mein Arzt hat es mir erklärt."

„Das ist schon einmal ein positiver Schritt von dir Dan, dass du es zugegeben hast und es bereust. Kannst du uns bitte sofort die Laborjournale retournieren?" sprach Nathan sichtlich beruhigt, aber dezidiert. Auch Rivka setzte ein erleichtertes Lächeln auf.

„Nein, das kann ich nicht. Ich habe sie gestern Abend verbrannt!" winselte Dan.

„Dan, wie konntest du das tun. Macht es dir denn gar nichts aus, dass du Yiovs Leben zerstört hast?" fuhr Rivka dazwischen.

Erstmals schaute Keshet Rivka direkt in die Augen und äußerte: „Rivka, es tut mir wirklich leid. Ich wollte Yiov nicht absichtlich schaden. Es kam über mich... aber du Rivka, Du wolltest mich doch kaputt machen?"

„Woher hast du dieses Hirngespinst. Hast du eigentlich den Verfolgungswahn?" schnippte Rivka zurück. Nathan schaute sie nun etwas vorwurfsvoll an und machte mit der Hand beschwichtigende Bewegungen.

„Rivka, du kannst dich ja über mich amüsieren, aber genau das hat mein Arzt unter anderem diagnostiziert", entgegnete Dan.

Rivka realisierte, das ihr Ausdruck von vorhin unglücklich war und entschuldigte sich: „Tut mir leid, Dan, ich wollte mich über deine Krankheit nicht lustig machen."

Nathan fuhr weiter: „Dan, du wirst einsehen, dass wir leider keine andere Wahl haben und gegen dich ein Uni-internes Disziplinarverfahren einleiten müssen. Dabei kann deine Krankheit sicher als mildernder Umstand berücksichtigt werden. Besorge uns bitte ein Arztzeugnis. Und halte dich bitte zur Verfügung."

Dan versprach es und somit war diese Sitzung beendet.

Kapitel 16

Amalia öffnete die Tür zum Wartezimmer und bat Yiov und Keren in ihr Behandlungszimmer. Bevor sie sich setzte, trat sie an die Pendule heran und brachte sie zum Stehen. Diesmal hatte sie sich an Yiovs Bitte erinnert. Heute trug sie eine Strickjacke und Blue Jeans, die ihr breites Gesäß betonten.

„Schön, dass du kommen konntest. Vielen Dank!", wandte sich Amalia an Keren. Diese schwenkte ihren Blick von Yiov zur Psychologin und antwortete, dass sie gerne helfen möchte.

„Sehr gut, das könntest du. Erzähle uns bitte, wie du Yiovs Situation in eurem täglichen Leben wahrnimmst".

Keren schaute zu Yiov hinüber, der mit verschränkten Armen im engen Fauteuil saß und immer noch die Pendule anstarrte. Dann begann sie zu sprechen, zuerst zögernd und dann in einem Wortschwall:

„Wir kennen uns nun schon seit fast vier Jahren. Am Anfang, als wir uns kennen lernten, da schien alles normal. Yiov verfolgte sein Doktorat mit Begeisterung und voller Energien. Zwischen uns entwickelte sich eine große Liebe", sagte sie etwas verlegen. "Ich mochte seinen trockenen Humor, fast wie der Britische". Sie hatte dazu kurz gekichert und fuhr fort: „Nur zwischendurch erzählte er mir von seiner schwierigen

Jugend. Das schien ihn immer noch stark zu beschäftigen, und manchmal war er wütend, manchmal weinte er." Nun blickte sie zu Yiov und fragte: "Yiov, ist es für dich ok, dass ich ganz offen bin?" Yiov nickte.

Nun quollen ihr selber Tränen in die Augen. Sie schaute wieder zu Yiov rüber. Er retournierte den Blick und griff nach ihrer Hand.

"Das sind völlig normale Reaktionen auf traumatische Kindheitserlebnisse", intervenierte Amalia und fragte weiter: „Und heute, wie kommt er mit dem täglichen Leben zurecht?"

"Yiov hadert oft mit seinem Schicksal. Er ist halt kein gläubiger Mensch. Wäre er das, dann könnte er vielleicht, wie Hiob, es als von Gott gegeben akzeptieren. Ich möchte ihn dabei aber keineswegs zur Religion bekehren. Ich selber bin ja auch nicht religiös". Das letzte hatte sie schmunzelnd gesagt. "Doch zurück zur Sache: Irgendwie ist er momentan blockiert. Speziell seit dem Zwischenfall mit seiner Dissertation. So eine Gemeinheit! Den Dieb sollte man einsperren!", sprach Keren nun mit Nachdruck.

„Was meinst du genau mit blockiert?" forschte die Psychologin weiter.

„Vor allem bei seinem Schlafrhythmus. Der ist schon etwas Besorgnis erregend. Meist geht er erst um drei bis vier Uhr nach Mitternacht ins Bett und steht dann erst am frühen Nachmittag auf."

„Danke dir vorläufig, Keren…Yiov, möchtest du was ergänzen?" Amalia beobachte ihn und wartete auf seine Reaktion, die sich zuerst in Schweigen hüllte. Amalia schwieg ebenfalls, drängte nicht, da sie ihm die notwendige Zeit lassen wollte. Dann allmählich begann er seinen Gefühlen freien Lauf zu geben:

„Ich bin mir nicht sicher, Keren, ob du, als du von blockiert sprachst, mein Doktorat anspieltest. Wenn du das gemeint hast, dann bin ich einverstanden, denn mein Entschluss, damit aufzuhören steht weiterhin fest."

Yiov hob den Kopf und blickte nun direkt in Amalias Augen. Er sah ihr ihr Einfühlungsvermögen an. Sie war für ihn fast zu einem Mutterersatz geworden. Sie selber konnte sich sehr gut mit ihm und seinen Frustrationen der Uni identifizieren – war sie doch von derselben Alma Mater. Auch sie hatte während ihres Studiums den langen Arm ihrer Professorin gespürt, welche sie tyrannisierte. Ähnlich wie Keshet hatte diese Professorin sich einen schlechten Namen unter den Studenten gemacht und war verpönt. Doch da gab's Unterschiede: erstens hatte diese keine Sabotageakte durchgeführt und zweitens hatte Amalia einen starken Charakter und ließ das Geplänkel an sich ab plätschern.

Er fuhr weiter: „Ich möchte meinem Leben eine neue Richtung geben. Das Doktorat ist für mich jetzt zu einer Bürde und Zeitverschwendung geworden. Aber mal in der Industrie als Material Entwickler zu arbeiten, denke ich, das möchte ich schon. Doch momentan fehlt mir die Kraft dazu. Ich könnte mich jetzt in so einem Job nicht konzentrieren, und ich habe Angst vor Konflikten mit zukünftigen Vorgesetzten."

„Und was hindert dich daran, dich zu konzentrieren?", leitete Amalie das Gespräch in konkretere Bahnen.

„Ich denke, es hat was mit meiner Krankheit zu tun", antwortete Yiov kaum hörbar.

"Und was tust du für deine Heilung?" Amalia schaute ihn leicht nickend und mit groß-geöffneten Augen an.

„Für das komme ich ja zu dir, oder?"

„Und wie steht's mit den Medikamenten? Nimmst du die täglich ein?" kam nun Amalia auf einen kritischen Punkt zu sprechen.

Yiov rutschte verlegen auf seinem Stuhl herum, während dem Keren Amalia zunickte. Amalia schlussfolgerte aus Yiovs Verlegenheit, dass er sich quasi ertappt fand und fragt daher:

„Und was gedenkst du in dieser Angelegenheit zu tun? Du weißt ja jetzt schon sicher, dass du ohne die Medikamente wieder rückfällig wirst. Ich will dich nicht beängstigen, aber es besteht die Gefahr, dass dein Zustand sich noch verschlechtern könnte und Gott behüte, dir möglicherweise irreversiblen Schaden verursachen wird".

Yiov starrte vor sich hin. Keren schaute ihn traurig von der Seite an. Schließlich sagte er:

„Was du mir da sagst, macht mir Angst, aber ich weiß nicht, ob ich fähig bin, die Medikamente regelmäßig einzunehmen. Und die Verantwortung Keren zu überlassen, finde ich, ist ihr nicht zumutbar."

Nun schauten er und Keren sich an, und sie antwortete: „Ja, ich habe doch schon einige Male versucht, dich daran zu mahnen, und dann hast du sie doch nicht geschluckt."

Amalia ergriff nun wieder das Wort und meinte: „Siehst du Yiov, wenn du das nicht selber in Kontrolle hast und dein Zustand sich weiter verschlechtert, dann gäbe es die Möglichkeit, dass du dich freiwillig in eine psychiatrische Klinik einlieferst. Dort würdest du dann auch intensiv betreut von Psychiatern, Psychologen, und die Schwestern würden sicherstellen, dass du die verschriebenen Medikamente zu festen Zeiten einnimmst."

Amalia schaute auf die Uhr und kündigte an, dass die Zeit um sei. Nun bat sie Yiov, sich das zu überlegen, und falls er sich dazu entschließe, werde sie alle Unterlagen für die Klinik zusammenstellen. Nachdem der Patient seiner Psychologin einen Check für die Behandlungen des letzten Monats überreicht hatte, verabschiedete sich das junge Paar und begann den Heimweg anfänglich schweigend durchs Wadi von Beit Hakerem zur Uni. Es fiel ein Rieselregen und zum Glück hatten sie einen Regenschutz dabei. Neben dem Weg sprießten jungen Pflanzen und Gräser. Weiter unten im Tal sah Yiov vor ihnen drei Männer nebeneinander schreiten. Er glaubte von hinten den Mann in der Mitte als Dan Keshet zu erkennen, aber er war sich nicht sicher.

Kapitel 17

Das große Sitzungszimmer im Administrationsgebäude der Uni war bereits mit Karaffen voll Orangen- und Grapefruitsaft, sowie Platten mit Bourekas, Schüsselchen mit rohen Rüben- und Peperonistreifen vorbereitet, als einer nach dem andern, unter ihnen Yaron der Präsident, Motti der Rektor, Nathan der Dekan und fünf weitere Senatsmitglieder eintraten, darunter die Dekanin der Computer-Fakultät. Etliche von ihnen traten an den Tisch mit den Erfrischungen heran und füllten sich damit den Teller und ein Glas Getränk, andere blieben beim Smalltalk stehen oder nahmen die Gelegenheit war, ihre wichtigen Anliegen an Motti oder gar Yaron vorzubringen. Dann bat Yaron alle zu Tisch, da man anfangen wolle. Er ergriff das Wort:

„Meine Geehrten, wir haben heute ein einziges Traktandum, nämlich das Disziplinarverfahren gegen Dan Keshet. Wir haben ihn geladen, hier um halb Elf zu erscheinen. Damit wir alle auf dem gleichen Wissensstand sind, werden wir vorerst die Sachlage besprechen und danach Dan die Möglichkeit geben, seine Position zu verteidigen. Nathan darf ich dich bitten, uns den Verlauf der Ereignisse kurz zu schildern."

Nathan tat dies ausgezeichnet, sachlich und präzise, da die Beweislage in ihrer Klarheit einen langen Diskurs überflüssig gemacht hatte. Fragen, die von einigen Anwesenden aufkamen, bezogen sich lediglich auf Prozedurales. Wie zum Beispiel, ob man gedenke, auch Yiov und Rivka einzuladen. Motti hatte die Antwort parat:

„Wie Nathan geschildert hat, war Dan schließlich geständig und hat alles, den Diebstahl, das Plagiat, sowohl das Verbrennen der Laborhefte zugegeben. Nachdem die Sicherheitsmänner Dan in sein Büro und in seine Wohnung begleitet hatten, diese durchsucht und dabei nicht fündig geworden waren, er ihnen aber die Feuerstelle im Wadi gezeigt hatte, glauben wir seiner Rekonstruktion der Ereignisse. Deshalb fanden wir es vorläufig nicht notwendig, Zeugen zu laden, es sei denn, dass er plötzlich seine Aussage abändern oder gar abstreiten würde. Dann würden wir natürlich darauf zurückgreifen."

Man gab sich zufrieden und wartete nun gespannt auf Keshets Auftritt. Yaron stand auf und verabschiedete sich mit der Erklärung, dass er sich an ein Treffen mit dem Wissenschaftsminister begeben müsse, aber das Verfahren sei ja bei Motti und den Anwesenden in besten Händen. Einige benutzten die Gelegenheit sich rasch noch eine Tasse Kaffee oder Tee mit dem heißen Wasser aus dem elektrischen Samowar vorzubereiten. Dann rief Nathan den Angeklagten hinein. Dan trug einen braunen Kittel mit hellblauem Hemd, aber ohne Krawatte, und man bat ihn auf der gegenüberliegenden Seite des Präsidenten und Rektors Platz zu nehmen. Einige der Anwesenden nickten ihm zu. Obwohl draußen ein heftiger Wind heulte und es stark regnete, wie auch an der Nässe von Dans Hosenbeinen an deren unteren Enden sichtbar war und die winterlichen Temperaturen des hügligen Jerusalems sich auf dreizehn Grad abgekühlt hatten, was sogar die Fensterscheiben anlaufen ließen, schien es Keshet rasch heiß zu werden, wie sein rotes, verschwitztes Gesicht und das gelegentliche Stirnabwischen per Taschentuch bekundeten.

Motti eröffnete das Verhör mit den Worten: „Shalom Dan, wir bedanken uns, dass du zum heutigen Disziplinarverfahren erschienen bist. Nathan wird nun den Vorwurf gegen dich vorlesen."

„Doktor Dan Keshet werden folgende Anklagepunkte vorgeworfen: Erstens soll er diesen vergangenen Sommer drei der Laborhefte vom Doktoranden Yiov Matzok durch Eindringen in sein Labor entwendet haben. Zweitens soll er aus den Laborheften Forschungsprozeduren und experimentelle Resultate als Plagiat missbraucht haben, um diese als seine eigene Erfindung bei einer Patentanmeldung anzugeben. Drittens soll er sämtliche Hefte von Matzok durch Brand zerstört haben." Nathan schaute vom Blatt auf und direkt zu Dan, welcher unbeweglich im Stuhl saß und auf den Tisch starrte. Nun gab Nathan Motti ein Zeichen, dass er weiterfahren solle.

„Dan Keshet, erklärst du dich in den drei vorgebrachten Anklagepunkten schuldig oder hast du Einwände vorzubringen?"

Keshet wischte sich wieder den Schweiß ab, atmete tief ein und begann leicht zitternd zu antworten:

„Ich verstehe, dass ihr hier von mir ein Geständnis verlangt. Bevor ich dies tue, verlange ich von euch, dass ihr mir die Konsequenzen davon erklärt. Ich glaube das Recht habe ich."

Motti und Nathan blickten sich nickend zu. Motti dachte im Innern, dass dies eine korrekte Forderung Seitens Keshets sei und erahnen ließ, dass er sich vorher bei einem Anwalt hatte beraten lassen. Motti antwortete ihm entsprechend:

„Das Recht hast du tatsächlich. Den genauen Beschluss können wir dir aber erst nach der Abstimmung durch das anwesende Komitee mitteilen. Wenn du dich schuldig erklärst, werden wir in Anbetracht deines Gesundheitszustandes Milde walten lassen. Demnach werden wir auch über unsern Vorschlag abstimmen, von einer polizeilichen Untersuchung abzusehen, also kein Kriminalverfahren einzuleiten, aber du musst mit einer Suspension deines Amtes rechnen. Weiteres, wie gesagt, erst nach der Besprechung und Abstimmung."

Dan haderte mit sich und seinem Schicksal. Er fragte sich, was für Möglichkeiten ihm noch offen stünden. Er fühlte, dass er etwas Zeit brauchte, um mit sich einig zu werden und verlangte deshalb eine Toilettenpause, die ihm gewährt wurde; die Sitzung wurde für zehn Minuten vertagt. Er hatte diese Pause gerade noch rechtzeitig verlangt, weil er neben seinem Dilemma schreckliches Bauchweh hatte, und als er die Toilette erreichte, musste er sich mit einem heftigen Durchfall entleeren.

Wieder im Sitzungszimmer zurück, setzte er sich wieder auf seinen Platz und verlangte eine Tasse Tee. Er durfte sich selber bedienen, und danach konnte das Verfahren erneut aufgenommen werden. Motti eröffnete mit der Frage:

„Dan, hast du eine Entscheidung getroffen? Und wie lautet sie?"

„Ja, Motti, Nathan und geehrte Anwesende. Ich bereue meine Taten, aber bitte um Umsicht, da ich im Affekt gehandelt habe, wie mein psychiatrisches Zeugnis klar dokumentiert. Dennoch möchte ich das Verfahren so rasch als möglich im guten Einverständnis mit dem werten Komitee zum erfolgreichen Abschluss bringen, damit ich meine Krankheit ausheilen kann. Daher bekenne ich mich schon mal im ersten und dritten der drei Anklagepunkte für schuldig. Beim zweiten möchte ich eine Korrektur anbringen lassen, da sie in meinen Augen zu weitläufig ist."

Es ging ein Raunen durch den Raum. Sie waren erstaunt über den Mut, den Keshet da vorbrachte und es wagte, wenigstens teilweise, die Richtigkeit der Anschuldigungen anzuzweifeln. Motti fragte dann, was er daran zu beanstanden hätte, worauf Keshet sagte:

"Ich gebe zwar zu, dass mich einige Versuche von Yiov inspiriert haben und davon Gebrauch gemacht habe; aber in meiner Patenanmeldung gibt es auch meine eigenen Ideen. Deshalb bitte ich den Wortlaut abzuändern auf 'gewisse Teile der Resultate von Matzok'. Das könnte ich akzeptieren."

„OK Dan, wir nehmen das zur Kenntnis. Möchtest du sonst noch was zu deiner Verteidigung vorbringen?"

Die akademische Sekretärin, eine Anfangs Vierzigerin, langjährige Mitarbeiterin von Motti, die heute Protokollführerrn war, hatte eifrig die letzten Bemerkungen aufs Blatt gekritzelt. Sie hatte alles genauestens vorbereitet, sich speziell für den heutigen Tag schön gemacht und einige Blicke der Anwesenden auf sich gezogen.

„Ich bitte nochmals um Verständnis für meinen Gesundheitszustand, und in Anbetracht dessen, dass ich, wie psychiatrisch belegt, im Affekt gehandelt habe, also zur Zeit der mir vorgeworfenen Taten keine Kontrolle über mich hatte, beantrage ich, mich mit einer Verwarnung freizusprechen."

"Vielen Dank Dan, wir bitten dich nun draußen zu warten, während wir hier zur Urteilsbesprechung verbleiben werden. Halte dich bitte zur Verfügung. Ich denke, es sollte nicht allzu lange dauern."

Keshet verließ den Raum und Motti vertagte die Sitzung für eine kurze Verpflegungspause. Die Mitglieder waren froh, sich die Gliedmaßen recken zu können, und sie diskutierten lebhaft untereinander. Dann berief sie Motti erneut zur Sitzung.

"Meine geehrte Damen und Herren, wir haben Dan die Anklagepunkte vorgelesen. Wie ihr gehört habt, hat er sich im ersten und dritten für schuldig erklärt, verlangte jedoch im zweiten eine Korrektur, und zwar was den Umfang des Plagiats anbelangt."

Motti schaute auf und pausierte, als die Tür aufging und Yaron wieder zu ihnen stieß. Er bemerkte, dass die Sitzung mit dem Wissenschaftsminister gut verlaufen sei. Das Anliegen der Uni, im Einklang mit dem nationalen Gremium für höhere Bildung, das Budget für Stipendien an Masteranden zu erhöhen, sei angenommen worden. Motti präsentierte eine kurze Zusammenfassung des Verlaufs der Dinge, um Yaron ins Bild zu setzen und fuhr fort:

„Ich schlage vor, die von Keshet vorgeschlagene Einschränkung zu akzeptieren und den Wortlaut entsprechend abzuändern. In meinen Augen spielt das kaum eine Rolle, da das Plagiat als solches stehen bleibt. Ich unterbreite die Abänderung des zweiten Anklagepunktes zur Abstimmung. Wer dafür ist, soll dies bitte durch Handerheben bestätigen." Motti erhob seine Hand und schaute im Kreis herum. Die Protokollarin hatte das Resultat notiert und gab es auch mündlich an:

„Die Abänderung des zweiten Anklagepunktes ist einstimmig angenommen."

„Danke Ricky, nun kommen wir zur Urteilsfällung und deren Begründung. Ich schlage folgendes Urteil vor: Professor Dan Keshet ist in allen drei Anklagepunkten als schuldig erklärt. Dies weil er erstens seine Vergehen gestanden und seine Schuld anerkannt hat, und zweitens weil die Beweislage klar dokumentiert ist, und zwar durch Zeugenaussagen von Yiov, Rivka und Schlomi und durch die Patentanmeldung des Angeklagten, die klar ein Plagiat belegen. Deshalb wird er von seinem Amt als Privatdozent suspendiert und muss alle Aktivitäten in seiner Lehr- und

Forschungstätigkeit ab sofort einstellen. Ferner beschließen wir, in Anbetracht seines Gesundheitszustandes von polizeilichen Untersuchungen und kriminellen oder zivilen Verfahren gegen ihn abzusehen. Um ihm den Übergang in sein neues Leben zu erleichtern, werden wir ihm eine Abfindungssumme von zweihundert Tausend Neue Shekel anbieten, wovon er an Yiov einen Schadenersatz von sechzig Tausend Neue Shekel abtreten muss."

Motti schaute in die Runde und bat um Kommentare zu diesem Vorschlag. Dina, die Dekanin der Computerfakultät, eine adrette Dame mit kurz geschnittenen Haaren, bekannt für ihre punktierte Rhetorik und Schlagfertigkeit bat ums Wort:

„Vielen Dank Motti für die effiziente Führung des Disziplinarverfahrens und die informative Darstellung des Falls. Was sich da Keshet geleistet hat, auch wenn er um Handlung im Affekt plädiert, ist im Grunde kriminell. Aber noch mehr ist es abscheulich, und da muss schon ein Zeichen gesetzt werden. Er hatte sich ja heute relativ gut im Griff, was die Argumentation der fehlenden Kontrolle doch um einiges abschwächt. Ich verstehe ja, dass wir das am besten intern regeln. Jedoch wer garantiert uns, dass es nicht nach außen durchsickert? Zum Beispiel, wenn Yiov gegen Keshet eine zivile Klage einreicht?"

Einige der Senatsmitglieder nickten mit dem Kopf und fanden, man müsse sich die Sache gut überlegen, um kein Fehler zu machen. Motti ließ sich nicht aus der Ruhe bringen und bat Yaron dazu Stellung zu nehmen:

„Danke dir Dina. Deine Ausführungen sind wichtig und ich möchte dazu wie folgt kommentieren. Ich stimme mit dir genau überein, dass es unerträglich ist, wie du sagst, was Keshet sich da geleistet hat. Daneben sollten wir auch nicht vergessen, dass er noch die Karriere eines unserer Studenten entscheidend geschädigt hat. Studenten zu fördern ist ja eine unserer wichtigsten Aufgaben. Dann sprichst du richtigerweise die Gefahr des Hinaussickerns der Geschehnisse an, im Falle einer Zivilklage von Matzok gegen Keshet, was unsern guten Ruf gefährden würde. Um dem vorzubeugen, haben wir bereits mit Yiov verhandelt und ihn vertraglich gebunden, und zwar mit dem Schadenersatz durch Keshet und Ergänzung der Summe durch die Uni von zusätzlichen vierzig Tausend Neuen Shekel. Mit dieser Summe hatte er sich bereit erklärt und bereits unterschrieben, dass er von jeglicher zivilen Klage gegen Keshet und gegen die Uni absehen wird. Das Dokument wurde von unserer juristischen Abteilung verfasst.”

Dina hatte aufmerksam zugehört und machte eine zufriedene Miene, so dass Yaron es zur Abstimmung unterbreitete. Das Urteil und die finanzielle Regelung wurden nun einstimmig angenommen, und Ricky wurde umgehend gebeten, es in schriftlicher Form vorzubereiten, damit sie es alsbald Keshet zur Einsicht und Unterschrift unterbreiten konnten.

Nathan war mit dem Ausgang des Verfahrens sehr zufrieden, und als er wieder in seinem Büro war, wählte er Rivka direkt an: "Hallo Rivka. Du, das Verfahren ist perfekt gelaufen. Was ich dir hier erzähle, ist natürlich unter Geheimhaltung. Also Dan hat alle Anklagepunkte akzeptiert, und er wurde von seiner Stellung suspendiert. Bitte, erinnere Yiov ebenfalls um Geheimhaltung, was er ja bereits unterschrieben hat. Sage ihm bitte auch nochmals, dass er unsere volle Unterstützung hat, was den Abschluss seiner These anbelangt".

"Vielen Dank Nathan für deinen unermüdlichen Einsatz in dieser doch prekären Sache. Ohne dich hätten wir die Wahrheit niemals erfahren. Und hoffentlich kann Yiov durch diese wenigstens teilweise wiederhergestellte Gerechtigkeit, etwas Mut schöpfen." Sie dachte dabei an Vaters ausgeprägtes Bestreben, das Rechtswesen im Lande einzuhalten und zu fördern. Seine Urteile waren zu viel zitierten Präzedenzfällen geworden. Darauf war sie mächtig stolz. Ohne sich dessen stets bewusst zu sein, eiferte sie ihm nach, auch als Mensch.

Zweiter Teil - Kfar Shaul

Kapitel 18

Yiov hatte schließlich beschlossen, sich in die psychiatrische Klinik „Kfar Shaul" in Jerusalem zu begeben. Keren hatte natürlich darauf bestanden, ihn zu begleiten und den Abschied von ihm noch ein wenig hinauszuschieben. Sie hatten sich in ihre dicken Skijacken, Schals und Wollmützen eingehüllt. In der Nacht war Schnee gefallen. Keren trug sogar Handschuhe. Sie benutzten die Zeit der ziemlich langen Busfahrt mit einem letzten Gedankenaustausch:

„Yiovi, ich bewundere dich, dass du den Mut dazu hattest, diese Entscheidung zu fassen. Das hätten nur ganz wenige gekonnt!", wobei sie ihm den Arm um die Schulter legte.

„So bewundernswert ist das nicht, denn ich musste es tun, wenn ich mit meinem Leben weiterkommen will. Es ist mir schon schwer gefallen, mir meine eigene Freiheit zu nehmen, aber ohne Amalias Begleitung und deine Unterstützung, Keren, hätte ich das nie geschafft. Dazu kam noch, dass mir die Uni die großzügige Abfindungssumme überreicht hat. Zwar wollten sie, dass ich das Geld brauche, um das verloren Jahr nachzuholen, aber für mich ist die Behandlung jetzt oberste Priorität, und danach sehen wir weiter." Aber innerlich dachte er an seine Absicht, danach eine Industriestelle anzunehmen.

Die Busstation war nicht weit vom Eingang der Klinik, die eine mit dem typischen Jerusalemer Stein erbaute Fassade aufwies. Im Neuschnee stapfend, er mit einem großen Rucksack, nahmen sie die Treppe zum Empfang empor. Dort saß am Pult eine ältere Frau mit Kopftuch, dickem schwarzen Pullover und einer Hornbrille, die Keren als recht modisch empfand. Sie schaute auf und musterte die Ankömmlinge erwartungsvoll.

„Schalom, mein Name ist Yiov Matzok. Ich bin bei ihnen zur Hospitalisierung angemeldet. Und das ist meine Lebenspartnerin Keren."

„Schalom Yiov, willkommen bei uns. Ich bin Anat. Hattet ihr eine gute Fahrt? Hast du bitte deine Unterlagen und einen Ausweis dabei? Das Ärzteteam wird sie zuerst überprüfen, dich interviewen, und erst dann wird über den Spitalaufenthalt und die passende Therapie entschieden."

„Hier ist der Bericht von Frau Tal, meiner Psychologin und das psychiatrische Gutachten von Dr. Wechsler. Und hier mein Identitätsausweis." Yiov legte alles vor der Dame aufs Pult und wunderte sich ganz kurz ob seiner Identität.

„Bitte nehmt dort hinten Platz, bis du zum Interview aufgerufen wirst. Inzwischen könnt ihr euch dort in der Imbissecke etwas zu trinken zubereiten."

Die Dame begab sich zur Kopiermaschine, machte von allem Abzüge, brachte die Originale zu Yiov und schritt dann mit den Unterlagen, die sie in ein Mäppchen eingeschoben hatte, aus dem Empfang in den angrenzenden Korridor. Keren bereitete sich und Yiov einen heißen Tee, der ihnen gut tat nach der Affenkälte draußen. Auch im Empfang war es kühl, wo nur mit einem kleinen Petroleumofen, der einen unangenehmen Geruch verbreitete, geheizt wurde. Nach etwa zehn Minuten kam die Sekretärin zurück und bat Yiov und Keren sie zum Arzt zu begleiten, der sie jetzt empfangen werde. Der Weg ging zuerst durch den Korridor, der in ein gewölbtes, antik aussehendes Patio mit einem bunten Fliesenboden führte, das durch eine gebogenen Öffnung in einen weiteren Korridor führte, in dessen Mitte sie gebeten wurden auf einer Wartebank Platz zu nehmen. Sie verabschiedete sich mit den Worten, dass Doktor Koppelevic sie demnächst hineinrufe. Sein Name stand auf dem Namensschild an der Türe über der Kennzeichnung „Chefarzt der Abteilung B". Daneben erblickten sie weitere Zimmer mit Anschriften anderer Ärzte.

„Wie fühlst du dich, Yiovi? Hast du Herzklopfen?", fragte Keren nach anfänglichem Schweigen.

„Ja, schon ein wenig. Aber ich denke ….“

Yiov konnte den Satz nicht mehr zu Ende sprechen, da die Tür aufgegangen war und Koppelevic seinen Namen aufrief. Sie folgten ihm in seine Praxis und nahmen auf den Stühlen neben seinem Pult Platz, nachdem er sie dazu mit der Hand angewiesen hatte. Der Arzt war ein hagerer Typ, mit braunen Augen, kurzgeschnittenem grau meliertem Haar, einem Henriquatre und trug einen weißen Kittel. Hinter ihm war ein breites Rundbogenfenster durch das Yiov den Garten erblickte.

„Wer bist du?“ wandte sich der Koppelevic an Keren. Und nachdem sie sich als die Lebenspartnerin von Yiov identifiziert hatte, bemerkte er: „Weißt du, normalerweise lassen wir nur die nächsten Verwandten mit in die Sprechstunde. Aber ich habe den Bericht von Frau Tal bereits gelesen, und so mache ich in Eurem Fall eine Ausnahme.“

„Wie heißt du?“ fragte der Arzt nun Yiov, obwohl er wusste, wen er vor sich hatte, aber durch das Erfragen der Personalien, wollte er einen ersten Eindruck in den Gemüts- und kognitiven Zustand des Patienten erhalten. „Bitte Geburtsdatum, Name des Vaters, der Mutter, deine ID-nummer, Adresse und Telefonnummer.“

Yiov hatte alle Fragen präzise und ohne zu stottern beantwortet – nur bei der Telefonnummer, schaute er zu Keren hinüber und sah sie fragend an, worauf sie antwortete:

„Wo wir momentan wohnen, haben wir keine Telefonnummer, aber darf ich diejenige meiner Eltern angeben, mit denen ich fast täglich in Verbindung bin und man daher dort Nachrichten hinterlassen könnte?"

Nun bat Koppelevic Yiov auf dem Untersuchungsbett Platz zu nehmen und nahm ihm den Blutdruck mit Puls, maß ihm das Fieber und notierte alles säuberlich ins Patientenblatt. Dann klopfte er mit einem kleinen Hammer auf die Kniegelenke und leuchtete ihm mit einer Taschenlampe in die Augen. Danach bat der Arzt ihn mit den Gliedmaßen gegen seine zu drücken und schließlich Fuß vor Fuß auf einer geraden Linie den Raum zu durchqueren.

Jetzt durfte Yiov sich wieder zu Keren setzen, und der Arzt sprach: „Beschreibe mir bitte deinen Lebenslauf, vor allem deiner Meinung nach die wichtigen Dinge, die du uns erzählen kannst".

Yiov überlegte einen Augenblick und fragte: „Soll ich bei meiner Kindheit anfangen?". Der Arzt nickte und so schoss Yiov los. Es sprudelte so richtig aus ihm heraus:

„Meine Eltern kamen aus Russland und leider war mein Vater Alkoholiker. Wahrscheinlich ging die Ehe deshalb bald in die Brüche. Seine Schreie und Gewaltseruptionen mit Zerschlagen von Vasen und Ohrfeigen an die Adresse meiner Mutter sind mir immer noch in Erinnerung, wie wenn es gestern gewesen wäre. Einmal als er wieder besoffen war und auf meine Mutter losging, so stellte ich mich dazwischen und warnte ihn, dass er 'Mamuschka' ja nicht schlagen solle. Ich hatte schreckliche Angst, aber konnte nicht mehr mitansehen, wie er meine Mama schlug. So kriegte ich seine Schläge zu spüren, aber bald darauf nahm er seinen Mantel und verließ das Haus."

Keren hielt ihm nun die Hand. Yiov schnitt eine wütende Grimasse, atmete tief ein und fuhr fort:

„Mama rief einige Male die Polizei, und dann musste er auf der Wache in einer Zelle übernachten – wurde dann aber jeweils am nächsten Morgen wieder entlassen, und wenn er dann ausgenüchtert heimkam, war er wie ein Lamm, entschuldigte sich bei ihr und versprach, dass es nie mehr vorkommen werde. Sie glaubte ihm jedes Mal von neuem."

Koppelevic hatte eifrig Notizen gemacht und fragte nun nach: „Und wie ist es schließlich zur Scheidung deiner Eltern gekommen?"

„Eines Tages war mein Vater verschwunden. Wir dachten, dass er wie immer wieder auftauchen werde, aber er meldete sich nicht mehr. Ich verachtete und fürchtete ihn und war eigentlich froh, dass er weg war. Andererseits fühlten meine Schwestern und ich uns von ihm durch diese Flucht verraten und verlassen." Yiov hatte den Blick gesenkt und Keren reichte ihm ein Taschentuch.

„Danach hat sich unsere finanzielle Situation merklich verschlechtert. Manchmal brachten uns Verwandte und auch Nachbarn Esstöpfe. Ich kannte mich da nicht so gut aus, aber mir scheint, dass ihr Bruder meiner Mutter auch Geld gegeben hat. Sie schämte sich, und oft traf ich sie weinend im Schlafzimmer an." Yiov schnäuzte die Nase und fuhr dann weiter:

„Dann eines Tages eröffnete mir meine Mama, dass sie mich in ein Internat bringt, da sie sonst ihre Familie nicht mehr ernähren könne. Das war der schrecklichste Tag in meinem Leben. Viel schlimmer als die Prügel meines Vaters." Jetzt begann Yiov am ganzen Körper zu zittern und verfiel dann in ein lang andauerndes Schluchzen. Langsam fing er sich wieder auf und murmelte, dass es ihm leid tue.

Der Psychiater sagte nun: „Für heute ist das genug und wir fahren dann morgen weiter. Was bevorzugst du? Möchtest du morgen wieder kommen oder möchtest du hier übernachten?", fragte Koppelevic.

Yiov schaute fragend zu Keren hinüber, welche meinte: „Ich denke, dass es für dich weniger strapaziös wäre, wenn du hier übernachtest. Wenn das für dich stimmt."

Yiov nickte und gab seine Zustimmung.

„Gut, dann geht bitte wieder zu Anat beim Empfang, und diese wird dafür sorgen, dass ihr in die Station zur Hospitalisierung für die erste Nacht abgeholt werdet.

Morgen werden wir die Diagnose und die Kur ausarbeiten. Ich wünsche dir eine gute Nachtruhe, die kannst du gebrauchen".

Keren und Yiov bedankten sich bei ihm, und sie schritten wieder durch die Korridore und das Patio bis zum Empfang.

Kapitel 19

Yiov war jetzt schon einige Monate in der Klinik, und er hatte das Zeitgefühl verloren. Manchmal glaubte er, seit erst wenigen Tagen da zu sein und manchmal schon über ein Jahr.

"Guten Morgen, Yiov. Gut geschlafen? Hier bitte, das sind deine Medikamente."

"Danke Schwester. Wie lange soll ich die Medikamente noch weiter nehmen? Sie wurden mir doch nur für drei Monate verschrieben?"

"Das solltest du mit dem Arzt besprechen. Ich verfahre bloß nach den schriftlichen Anweisungen. Vergiss bitte nicht, heute nach dem Frühstück zur Gruppentherapie zu gehen."

Nachdem Yiov sich geduscht hatte, ging er wie üblich in den Esssaal und setze sich an seinen gewohnten

Platz. Mordehai, ein magerer junger Mann, mit schwarzen Haaren und dichtem Vollbart lächelte ihm zu, was Yiov beruhigt zur Kenntnis nahm. In der ersten Woche hatte ihn Mordechai noch schikaniert und mit dem Zuwerfen von Eierschalen provoziert. Nun war Yiov inzwischen von ihm akzeptiert worden, nachdem er ihn, als er wieder aus der Isolationszelle entlassen wurde, in seinem Zimmer besuchte und sich mit ihm aussprach. "Weißt du, Yiov, du hast mich an meinen großen Bruder, diesen Dreckskerl erinnert und so kam es über mich".

Dann begab er sich in die Gruppentherapie. Er setzte sich auf einen der Stühle, die bereits im Kreis angeordnet waren. Langsam strömten die Patienten in den Sitzungsraum und bald danach trat das Therapieteam mit Dr. Joni Gutermann und zwei Krankenpflegern ein, die sich unter die Leute mischten. Gutermann, ein etwas fettleibiger Mann mit einem Haarkranz, sprach:

"Guten Morgen, meine Lieben, zuerst möchte ich, dass Ihr unsern neuen Patienten Dan begrüßt!" Wobei er auf diesen zeigte. Die meisten sagten freundlich "Schalom und Willkommen". Yiov blickte zu ihm hinüber und irgendwie glaubte er, diesen älteren Mann schon mal gesehen zu haben. Dann dämmerte es ihm unmittelbar. Es war Dan Keshet von der Uni. Er sah ziemlich heruntergekommen aus - fast nicht mehr wiederzukennen. Ihre Blicke kreuzten sich, und Yiov glaubte ein fast unbemerkbares Nicken festgestellt zu haben.

"Nun meine Lieben, machen wir doch eine Runde, wo jeder sich kurz vorstellt. Sagt bitte euren Namen, woher ihr seid und wie lange schon bei uns. Wer möchte anfangen? .... Oh, Ihr seid wahrscheinlich noch etwas müde. Mordehai, fang du doch mal an."

"Mein Name ist Mordehai, ich bin aus Rishon LeZion und bin, glaube ich, schon über zwei Jahren hier?" Letzteres sagte er fragend an den Arzt, der dies bestätigte. Mordechai zeigte nun auf Yiov, der neben ihm saß:

"Ich heiße Yiov, bin aus ...Jerusalem und bin hier seit etwa drei Monaten."

Yiov hatte zuerst bei seiner Herkunft gezögert und gab schließlich seinen letzten Wohnort an. Neben den Patienten gaben auch die Krankenpfleger und der Arzt ihre Angaben an, um ein Gefühl der Gleichwertigkeit und des Respekts zu vermitteln. Dann war Dan an der Reihe, der aufsprang, als er aufgerufen wurde und fragte: "Was waren die Fragen nochmals?" Und danach antwortete: "Mein Name ist Dan, aus Jerusalem und ich bin neu hier."

Als nächstes bat er die Runde, ihre Gedanken zur Zukunft nach ihrer Entlassung preiszugeben.

Mordehai sagte: "Eigentlich würde ich gerne wieder in der Schreinerei der Familie arbeiten...".

Gutermann fragte: "Und was hindert dich daran?"

"Ich habe Angst, dass mein Bruder mich terrorisieren wird."

"Und wie macht er das?"

Mordehai schwieg zuerst und sagte dann schluchzend: "Ich möchte jetzt nicht mehr darüber sprechen." Jemand aus der Runde zischte: "So ein Hund!". Joni sagte: "Gut, Mordehai, nimm dir Zeit. Wir werden dann in der Therapiestunde darüber sprechen.

Yiov sagte: "Ich habe angefangen, mir Gedanken zu einem neuen Patent zu machen. Das möchte ich dann nach meiner Entlassung verfolgen."

"Oh wie schön. Worum geht es dabei?", fragte Gutermann.

"Es hat mit der Nutzung von Sonnenenergie zu tun."

Dan hob den Kopf und die Augenbrauen. Nach der Gruppentherapie begab sich Yiov in die Bibliothek. Er nahm ein Buch zur Hand. Es war Viktor Frankls Logotherapie. Mit dieser Materie zur Bedeutung einer Lebensaufgabe konnte er sich identifizieren, und sie motivierte ihn. Er bemerkte nicht, dass Dan Keshet in die Bibliothek eingetreten war. Dan hatte ihn gesichtet und trat an ihn heran:

"Schalom Yiov, wie geht es dir?"

"Wie es einem hier so gehen kann", sagte Yiov in trockenem Ton und schwieg. Dan verstand den Wink und entfernte sich: "Wir sehen uns ja noch."

Kapitel 20

Keren hatte ihm eine Schachtel Pralinen mitgebracht. Yiov umarmte sie und sagte: "Oh wie schön! Danke, dass du wieder gekommen bist. Machte mir schon Sorgen."

"Tut mir leid, dass es mir in den letzten Tagen nicht gelang. Ich hatte so einen Druck mit dem Vorbereiten der Examen, und dazu hatten wir einige dringliche Sitzungen wegen eines Studenten, der wieder mal gemogelt hatte. Ich hinterließ gestern eine Meldung."

"Ja danke, ich hab sie gekriegt. Schon ok. Jetzt ist ja alles wieder gut."

"Aber sag, wie geht es dir? Du siehst eigentlich ganz gut aus."

"Ganz gut? Ok, wenn du meinst. Hör zu, du wirst es nicht glauben. Wir haben einen neuen Patienten bekommen."

"Wieso soll ich es nicht glauben. Es kommen doch fortwährend neue Patienten, oder nicht?", fuhr Keren dazwischen.

"Also rate mal, wer der neue ist."

"Habe wirklich keine Ahnung, Spanne mich bitte nicht auf die Folter."

"Dan Keshet!!!"

"Was? Das gibt's ja nicht!"

"Ich habe ihn zuerst gar nicht erkannt, so erbärmlich sah er aus."

"Und er, hat er dich erkannt?"

"Ja, stell dir vor, vor ein paar Tagen kam er auf mich zu und fragte mich, wie es mir gehe. Aber ich mochte nicht mit ihm sprechen. Das verstehst du sicher."

"Na klar. Ich hätte auch eine Abscheu gehabt. Aber andererseits, wenn man bedenkt, dass er seine Vergehen, wie uns Rivka erzählte, im Affekt tat, bereut er vielleicht seine Taten. Was meinst du? Glaubst du, dass ihr eventuell darüber sprechen werdet?"

"Ich weiß nicht so recht…"

"Na gut, lassen wir es. Aber sag mal, hast du das Gefühl, dass du mit der Therapie Fortschritte machst?"

"Eigentlich schon", sagte Yiov, zögerte ein wenig, schaute Keren in die Augen und fuhr dann fort: "Erstens mal, sehe ich, dass die Medikamente meine Gemütsschwankungen schon ziemlich stabilisiert haben. Ich fühle mich bereits seltener deprimiert."

"Oh, das ist doch wunderbar! Hat man bereits mit dir über die Entlassung gesprochen?"

"Nein, das ist wahrscheinlich noch etwas verfrüht, und da habe ich noch selber Zweifel, wie und ob ich es draußen alleine ohne tägliche Begleitung schaffen werde. Aber immerhin gelingt es mir manchmal, mich auf mein neues Patent zu konzentrieren."

"Das von dem du mir erzählt hast? Das mit der Sonnenenergie?"

"Ja richtig. Von der Idee und den ersten Aspekten der Theorie habe ich bereits Fortschritte erzielt. Aber mit der praktischen Umsetzung, die kann ich hier ja nicht betreiben." Yiov's Blicke wanderten im Zimmer umher. Seine Gedanken schienen ebenfalls zu wandern. Keren schaute ihn fragend an, und Yiov sagte dann:

"Keren, ich habe Angst. Angst davor, dass mich Dan erneut aus dem Gleichgewicht bringen wird!"

"Ja, das kann ich schon nachvollziehen. Hast du in der Therapie schon darüber gesprochen?"

"Nein, noch nicht, aber ich habe es fest im Sinn."

"Yiovi, ich muss langsam. Kommst du mich zum Ausgang begleiten?"

Keren und Yiov wanderten den Gang entlang und nahmen dann den Weg durch den Garten, wo gerade die Sonne durch den alten Laubbaum blinzelte.

"Komm, setzen wir uns bitte noch für einen Augenblick auf die Bank und tanken etwas Sonnenenergie", sagte Yiov schmunzelnd. Keren lachte von Herzen zurück und hielt ihm die Hand. Dann umarmten und küssten sie sich innig, während Minuten. Nach einer Weile standen sie wieder auf und beim Empfang verabschiedeten sie sich.

"Ich komme, falls nichts dazwischen kommt, am Donnerstag wieder, aber auf jeden Fall am Freitag. Bis dahin, pass gut auf dich auf!"

Auf der Straße angelangt, wischte sich Keren ihre Augen trocken. Auf dem Weg genehmigte sie sich im Stadtzentrum an ihrem gewohnten Stand einen Falafel, mit viel Zhug und Tehina.

Kapitel 21

Yiov wartete wie abgemacht nach dem Frühstück vor Dr. Koppelevics Zimmer. Eine Schwester schritt an ihm vorbei, lächelte ihm zu und fragte:

"Guten Morgen Yiov, und wie geht es uns heute?"

"Guten Morgen Tamar, eigentlich ganz ok. Und dir?" Sie war schon weiter gegangen und rief ihm "Gut, Danke" zurück.

Dann rief ihn der Arzt hinein. Er studierte gerade eine Akte und sagte zuerst ohne aufzusehen:

"Schalom Yiov, ich bin mit den Laborbefunden, Blutdruck etc. zufrieden. Ebenfalls stelle ich fest, dass du deine Medikamente fleißig einnimmst, ein gutes Zeichen".

"Danke Doktor, aber die Medikamente muss ich ja einnehmen, ansonsten die Schwester mit mir schimpft. Übrigens, bis wann muss ich die noch weiter nehmen?"

Koppelevic sah nun vom Dossier auf und betrachtete Yiov ohne vorerst die Frage zu beantworten. Dafür aber fragte er Yiov nach seinem Wohlergehen:

"Yiov, erzähle mal, wie du dich bei uns fühlst und mit dir selber zurechtkommst. Du hast in der Gruppentherapie vor etwa zwei Wochen von deinen Zukunftsplänen gesprochen. Und wie sieht's damit aus?"

Yiov betrachte Koppelevics knochige Finger und sagte: "Also Doktor, bislang fühlte ich mich ganz gut, glaubte, ich machte Fortschritte, bis dieser Dan auftauchte. Ein krankhafter und gefährlicher Typ. Woran genau leidet er?"

"Komm, wir sprechen lieber über dich und was Dan bei dir auslöst. Bisher haben wir ja vor allem über deine

Kindheit gesprochen. Vielleicht ist es ja ganz gut, dass Dan uns jetzt in die Gegenwart versetzt."

Yiov schwieg und seine Blicke wanderten zum Fenster hinaus. Er rekonstruierte die Ereignisse, die seine Krankheit wieder aus dem Dornröschenschlaf erweckt hatte.

"Die ganze Affäre an der Uni mit dem Verschwinden meiner Forschungsresultate hat mich aus dem Konzept geworfen. Es war mir, als ob mir die Luft wie aus einem zerlöcherten Ballon entwich."

"Woran erinnert dich das ganze? Siehst du da irgend einen Zusammenhang mit andern Erlebnissen?" Koppelevic wandte die angepasste Methodik der Erzähltherapie und die kognitive Verhaltenstherapie an. Yiov dachte konzentriert nach:

"Könnte es eventuell damit zu tun haben, dass ich durch meinen Vater meine Kindheit und meine Jugend verloren habe?"

"In welchem Sinn hast du deine Kindheit verloren? Hast du konkrete Beispiele?"

Yiov kratzte sich am Kopf und sagte dann mit trotziger Stimme: "Irgendwie dadurch, dass ich die Rolle des Beschützers meiner Mutter übernehmen musste. Und die Enttäuschung, der Schmerz, dass mich mein Vater verlassen hat".

Koppelevic erkannte die gleichzeitige Wut und Trauer in Yiov, und sagte: "Kann es sein, dass du immer noch auf deinen Vater wartest? Und kann es sein, dass du in älteren Männern eine Vaterfigur siehst?"

Yiov musste diese Möglichkeit zuerst noch verinnerlichen.

Der Arzt wies in nun an: "Komm mit, wir gehen in den Fitnessraum und dort kannst du dich etwas abregen."

Der Psychiater nahm den Telefonhörer in die Hand, wählte und sprach: "Micha, komme bitte in den Fitnessraum." Dann stand er auf und Yiov folgte ihm durch den langen Korridor, die Treppe hinunter und wieder durch einen Flur, bis er endlich die Tür zum Fitnessraum öffnete. Dort wartete bereits Micha, der Krankenpfleger. "Micha, gib Yiov bitte zwei passende Boxhandschuhe."

Micha half Yiov in die Handschuhe, schnürte sie zu, und Koppelevic führte ihn zu einem riesig großen Sandsack und sagte: "So, schlage mit voller Wucht in den Sack."

Yiov ging etwas zögerlich ans Werk. Seine Schläge bewegten den Sack kaum. Der Arzt sagte:

"Während du reinboxt, sprich zum Sack und sag ihm, 'du hast mir meine Kindheit gestohlen'!"

Yiov sagte es leise, fast unhörbar, doch seine Schläge waren etwas stärker geworden. Koppelevic sagte mit Nachdruck: "Sag es lauter und boxe dabei weiter!"

Jetzt wurden beides, der Ruf "du hast mir meine Kindheit gestohlen!" und die Schläge stärker. Nach einigen Minuten schrie er es bereits aus vollen Lungen, wiederholte den Schrei noch ein letztes Mal und setzte sich auf den Boden und fing an zu heulen. Der Arzt und der Pfleger setzten sich zu ihm und legten die Arme um ihn.

Kapitel 22

Beim Mittagessen saßen sich Yiov und Dan schräg gegenüber. Sie hatten seit Dans Ansatz damals in der Bibliothek keine echten Gespräche geführt. Da plötzlich realisierte Yiov, dass Dan ihn anstarrte und die Nase rümpfte. Nun verzerrte er auch noch sein Gesicht vor Ekel.

"Was willst du von mir?", fragte ihn Yiov.

"Du stinkst ja nach Urin. Bist du eigentlich ein Bettnässer? Entweder du gehst an einen andern Tisch oder ich gehe!"

"Was, jetzt willst du mich hier auch noch schikanieren? Du frecher Hund!", worauf Yiov aufsprang und Dans

Tablet auf ihn umkippte. Das ganze Essen und Trinken spritzten auf Dan und auf den Boden. Dan schrie auf, zwei Krankenpfleger schnellten heran und führten Yiov weg, der sich anfänglich wehrte. Sie brachten ihn ins Isolationszimmer und verabreichten ihm ein Spritze. Yiov protestierte weinerlich:

"Bitte nicht! Es tut mir ja leid, aber dieser Dreckskerl hat mich provoziert!"

Die Spritze wirkte rasch, Yiov wurde schläfrig und nickte bald ein.

Am nächsten Tag wurde Yiov zu Koppelevic in die Therapie gebracht. Der Arzt betrachte ihn eine Weile. Yiov sah beschämt drein; allmählich sprach er:

"Ich schäme mich so, das hätte mir nicht passieren dürfen, aber dieser ...."

Koppelevic unterbrach ihn: "Ich verstehe - du hast dich von ihm verbal angegriffen gefühlt. Wieso glaubst du, dass du die Kontrolle über dich verloren hast?"

Yiov dachte eine Weile nach und sprach: "Als ich ein kleiner Bub war, bis so etwa anfangs des Schulalters, habe ich manchmal nachts das Bett genässt. Das ist ja schon lange vorbei. Aber irgendwie hat er mich daran erinnert, was mich außer mich brachte. Dazu kommt natürlich auch meine Wut aus seinem Diebstahl meiner Laborhefte an der Uni dazu."

"Das ist alles sehr gut verständlich. Was die Umgebung hier anbelangt, da solltest du dir bewusst sein, dass die Leute hier ja an psychischen Krankheiten leiden. Da musst du erwarten, dass der eine oder der andere gelegentlich ausrastet. Und was dich anbelangt, glaubst du, dass du deine Vergangenheit von der Gegenwart unterscheiden kannst?"

Koppelevic hatte für sich an Dans schizophrene eingebildete Geruchswahrnehmung gedacht, konnte dies aber natürlich nicht mit Yiov teilen, daher die verallgemeinerte Andeutung. Yiov mochte Koppelevic. Er sprach zu ihm auf Augenhöhe, und Yiov verstand größtenteils seine Argumentationen gut. Auch der Arzt mochte Yiov und achtete seine akademische Ausbildung. Er hatte ihn schon mehrere Male über seine Forschung und Patentideen ausgefragt, und Yiov hatte ihm gerne darüber doziert.

"Da hast du recht. Ich muss mir besser bewusst werden, dass wenn in mir Gefühle aufkommen, ich diese auf die Realität prüfe". Yiov atmete tief ein und fügte an: "Oder wenn sich mir gegenüber jemand angriffig verhält, muss ich mir in Erinnerung rufen, dass dies nichts mit mir zu tun hat, sondern sein Problem ist".

"Sehr guter Gedankengang. Ich verschreibe dir Kunsttherapie. Da kannst du dich mit deinen Gefühlen bewusst und unterbewusst befassen." Der Arzt machte sich Notizen in Yiovs Akte und entließ ihn.

Dann begab sich Yiov an den Eingang, und zu seiner Freude wartete Keren bereits auf ihn. Nun schritten sie umschlungen in den Garten und setzten sich auf die Bank. Sie saßen eine Weile ruhig da, und Yiov betrachtete die Girlanden, die bereits als dickes Gewächsnetz die steinerne Hauswand emporgewachsen waren. Sie schienen die Kräfte der Gravitation ohne Probleme durch den Halt an der Mauer überwunden zu haben.

"Wie geht es dir Keren, was machen deine Studien?"

"Danke prima. Sie haben mir übrigens angetragen, den direkten Studiengang zum Doktorat zu belegen. Was meinst du Yiovi, soll ich das tun? Und wie würdest du dich damit fühlen?"

"Oh, das ist aber toll, ja mach doch das nur. Du bist so begabt in Mathe, das solltest du nicht verpassen." Yiov hatte die Worte etwas leise gesprochen, und sein Blick war auf den Boden geheftet.

"Was hast du Yiovi? Es scheint dir also doch zuzusetzen."

"Nein, nein, Keren, es hat nichts mit dir zu tun. Ich freue mich wirklich für dich."

"Was hast du dann? Wieso bist du so bedrückt?"

"Es ist mir neulich was schreckliches passiert. Ich habe beim Mittagessen Dan Keshet angegriffen. Das heißt, ich habe ihm sein Tablett umgekippt, und dabei ist ihm die Suppe und das Essen auf seine Hosen ausgeschüttet." Yiov zitterte am ganzen Leib. "Dann kamen zwei Wärter, packten mich an den Armen und führten mich ab, ins Isolationszimmer, für eine Nacht."

"Oh, nein, wie konnte das passieren? Es sah doch so aus, als ob du dich besser fühltest."

"Weißt du, ich will mich ja nicht herausreden, aber dieser Dreckskerl von Dan hat mich beschimpft, und zwar auf gemeinste Art. Das war mir in dem Moment zu viel, und das noch nachdem er mir meine Karriere kaputt gemacht hat."

"Ach so, dann ist deine Reaktion eigentlich ganz verständlich und sogar normal. Aber für deine Gesundheit ist es natürlich nicht so förderlich. Was meinst du?"

"Ja, richtig, ich hab es mit Koppelevic bereits in der Therapie besprochen, und ich versprach, von nun an meine Gefühle besser zu verstehen, von der Umwelt zu isolieren und auf zehn zu zählen, bevor ich handle."

"Ich verstehe ja, dass dich Dan schon wieder aufs tiefste enttäuscht hat. Du hattest ja wieder große Erwartungen an ihn. Meine Jogalehrerin hat mir mal gesagt: 'Erwartungen sind der größte Feind des Glücks!' Das leuchtete mir ein; denn wer keine Erwartungen hat, kann auch nicht enttäuscht werden".

Kapitel 23

Dan Keshet war bereits an der Drehscheibe und bastelte an einem Tonkrug, als Yiov ins Kunstatelier eintrat. Ihre Blicke kreuzten sich, und Yiov blieb bei ihm stehen. Dan schaute ihn fragend an, und Yiov sprach als erster:

"Dan, der Zwischenfall im Essraum…., das tut mir leid. Hätte mir nicht passieren sollen."

"Schon gut, Yiov, ich hatte mich ja auch nicht unter Kontrolle." Dan stellte die Drehscheibe ab und fuhr weiter: "Und übrigens, wenn wir schon Zwischenfälle besprechen, dann möchte ich dir auch sagen, dass was ich dir an der Uni angetan habe, nicht persönlich gegen dich gerichtet war. Ich wurde damals von einer Wahnvorstellung getrieben und musste es einfach tun. Es tut mir wirklich leid!"

"Also wirklich? Obwohl es mir meine verlorene Forschung nicht mehr zurückbringt, finde ich es als positives Zeichen, dass du deine Schuld mir gegenüber anerkennst."

"Ja, die Therapie und die Medikamente halfen mir, meine Psychose zu lindern und meine vergangenen Einbildungen zu erkennen. Ich arbeite schwer an mir und bin optimistisch."

"Da wünsche ich dir viel Erfolg dabei. Ich selber hoffe das gleiche auch für mich selbst".

Yiov ging nun an die Staffelei und bereitete eine Leinwand vor. Er wollte anfangen, Bilder zu malen. Das hatte er nie ernsthaft betrieben. Höchstens in der Schule im Zeichenunterricht. Hier hatte er genügend Zeit dazu. Die Pflegerin, die die Kunsttherapie leitete, reichte ihm einen Pinsel mit weißer Grundierungsfarbe und wies ihn an, den gespannten Stoff in zwei Schichten homogen zu bemalen. Er drückte die Acrylfarbe aus der Tube, die sich auf der Palette wurmförmig auftürmte. Er hatte anfänglich noch Bedenken gehabt, dass sie einen starken Geruch eines Lösungsmittels ausstoßen würde.

Er hatte damals bei der Wahl zur Spezialisierung in anorganischer Chemie, diese Richtung unter anderm auch deswegen genommen, um nicht den starken Gerüchen, die bei der organischen Chemie vorherrschten, ausgesetzt zu sein. Er hatte diese unangenehme Erfahrung während dem obligatorischen Laborkurs in organischer Synthese machen müssen. Damals hatte er jede Gelegenheit benutzt, aus dem Labor zu fliehen, sobald er die Reaktion in Gang gebracht hatte und diese während zwei Stunden brodeln ließ. Er hatte dann Keren in der Cafeteria der Nationalbibliothek zu einer Kaffeepause getroffen, welche schmunzelnd geäußert hatte: "Yiov, du stinkst ja nach Benzin."

Doch seine Sorge war umsonst gewesen. Die Farbe war quasi geruchlos. Er trug sie auf, anfänglich zögerlich und vorsichtig, doch dann mit zunehmender Sicherheit. Er sah wie sich die Poren des Stoffs langsam füllten und die Leinwand sich glättete. Er ließ die erste Schicht trocknen, um darauf noch eine zweite Hand aufzutragen. In der Zwischenzeit ging er in die Imbissecke und goss sich ein warmes Getränk ein. Als er an Dans Keramikplatz vorbei ging, hielt er einen Augenblick an, um zu betrachten, was sein Kontrahent bewerkstelligte. Dieser war daran, einen asymmetrischen Krug zu kreieren, und zwar mit einer gebogenen S-Form. Yiov glaubte darin eine menschliche Figur zu erkennen. Er nickte Dan anerkennend zu, welcher zurück lächelte.

Dann begab sich Yiov wieder zur Staffel und brachte die zweite Schicht an. Während er pinselte, überlegte er bereits, was er eigentlich malen wollte, aber es kam ihm nichts in den Sinn - die Inspiration fehlte ihm momentan. Schließlich gesellte sich die Kunsttherapeutin wieder zu ihm, lobte seine Grundierung und sagte:

"Yiov, zum Anfang wirst du ein Stilleben abzeichnen, und zwar kannst du das Modell selber aufbauen. Bediene dich der hier aufgestellten Gegenstände und komponiere, was dir einfällt."

Yiov war erleichtert, da er ja bloß einige Gegenstände aufstellen musste, diese abzuzeichnen und zu bemalen hatte. Er nahm zuerst ein Stück dunkelblauen Stoffes und legte ihn auf das kleine Tischchen, das vor einer grauen Wand stand. Diese beiden Hintergründe gefielen ihm. Dann wählte er drei geometrische Gegenstände aus. Es war ein orangefarbiger Würfel, ein violetter Zylinder und ein dunkelgrüner Konus. Jetzt wollte er noch einen Gegenstand, der dem ganzen etwas Leben verlieh. Doch fand er nichts passendes; daher begnügte er sich mit einem metallenen Becher mit Henkel. Er platzierte die Formen kreisförmig und in deren Mitte den Becher, zuerst stehend, aber dann legte er ihn liegend auf die Seite mit dem Henkel schräg nach oben. Er rief nach Orit der Therapeutin und fragte sie:

"Was meinst du? Passt das für den Anfang?"

Orit machte große Augen und sagte: "Prima Yiov, das ist ja wirklich ganz interessant. Bitte nimm nun den Kohlenstift und zeichne zuerst die Umrisse auf die Leinwand."

Yiov machte nun gemäß Anweisung die ersten Versuche, die einzelnen Elemente des Stillebens abzuzeichnen. Mit den geometrischen Figuren ging es gar nicht schlecht. Er sagte zu sich, dass die dreidimensionalen Modelle von Molekularstrukturen, die er während dem Studium zu Gesicht bekam, ihm ein relativ gutes Raumgefühl hinterlassen hatten. Aber beim Becher musste er einige Male radieren und neu anfangen. Zuletzt war er mit dem Resultat ganz zufrieden und rief nach Orit.

"Das ist wirklich gut, Yiov. Du scheinst ja bereits Erfahrungen im Zeichnen zu haben."

"Nein, eigentlich habe ich seit der Mittelschule nicht mehr gezeichnet. Höchstens während dem Studium, Skizzen für Laboreinrichtungen."

"Jetzt im nächsten Schritt, musst du dir überlegen, mit welcher Beleuchtung das Model belichtet wird, das heißt also, was für Licht und Schatten die Gegenstände aufweisen und welche Schatten sie selber werfen."

"Soll ich die Schatten mit dem Kohlenstift einzeichnen oder dann direkt mit den Farben herstellen?"

"Das kannst du im Prinzip selber entscheiden. Der Vorteil mit der Kohle ist, dass du die Korrekturen einfacher anbringen kannst. Fortgeschrittene machen es dann meistens direkt mit der Farbe. Bitte beobachte mal, ob Schatten grau oder schwarz sind, oder ob sie einen Farbton aufweisen."

Yiov ging dem Hinweis nach und tatsächlich warfen die farbigen Gegenstände schwache Farbtöne in ihre Schatten. "Schon irgendwie ironisch", dachte sich Yiov, "Schattenseiten können ja eigentlich auch farbig sein".

Kapitel 24

Mordehai saß im Hobbyzimmer neben Dan. Sie schwatzten unbedeutendes Zeug, als Yiov zu ihnen stieß. Er hörte ihnen eine Weile zu, bis Mordehai sie verließ, mit den Worten: "Auf Wiedersehen, die Herren Professoren", wobei er schelmisch lachte. Yiov sagte:

"Dan, spielst du Schach?"

"Ja, doch, gelegentlich mal. Und du?"

"Ja, auch hie und da. Wollen wir eine Partie spielen?" Dan nickte, und Yiov stand auf und holte das Schachbrett und die Schachtel mit den Figuren. Er nahm je einen schwarzen und weißen Bauern zur Hand, schwang seine Arme hinter den Rücken, mischte die Figuren und hielt danach die geschlossenen Hände Dan entgegen, welcher auf die linke Hand zeigte, die Yiov nun öffnete. Es war der weiße Bauer. Nachdem sie die Figuren aufgestellt hatten, eröffnete Dan mit D4, und Yiov antwortete mit D5. Dan machte sofort den nächsten Zug mit C4, und Yiov staunte, dass Dan das Damengambit gewählt hatte. Er sagte aber nichts. Nach kurzer Überlegung beschloss Yiov das Bauernopfer zu akzeptieren, spielte D5xC4 und stellte den geschlagenen Bauern auf den Tisch neben das Brett. Er wusste, dass im Prinzip die Variante des verweigerten Opfers als die bessere angeschaut wird, aber er wollte Dan auf den Zahn fühlen und seine Stärken und Schwächen ab-

tasten. Yiov störte sich an Dans ständigem Figuren Be-
tasten, wobei er sie immer wieder von neuem auf ihr
Feld zentrierte, obwohl dies ja überflüssig war.
Daneben fielen ihm auch manchmal einige der Figuren
um, wenn er einen Zug machte. Yiov verzog sein
Gesicht.

Inzwischen hatten sich zwei Krankenpfleger hinter ihnen aufgestellt und beobachteten die beiden beim Spiel.
Yiov dachte zuerst, dass sie sich für Schach inte-
ressierten, doch dann besann er sich auf den Zwischenfall im Esssaal und dachte bei sich: "Die wollen jetzt
offenbar auf Nummer sicher gehen". Nach etwa
zwanzig Zügen gelang es Dan, Yiovs Widerstand zu
brechen, als er ihm bereits zwei Bauern, ein Pferd und
einen Läufer mehr hatte schlagen können, worauf Yiov
seine Hand ausstreckte. Die Krankenpfleger entfernten
sich erleichtert.

Dan sagte: "Du spielst gar nicht schlecht und bei nächs-
ter Gelegenheit gebe ich dir eine Revanche. Und wie
kommst du so zurecht hier?"

"Im Grunde genommen gar nicht schlecht. Ich mache in
der Therapie Fortschritte. Und du, Dan?"

"Koppelevic hat auch gemeint, dass ich auf dem Weg
zur Besserung bin. Was mir aber Sorgen macht, ist, wie
ich nach meiner Entlassung meinen Lebensunterhalt
bestreiten soll. Ich habe zwar eine anständige Abfin-

dungssumme gekriegt, aber die wird bald aufgebraucht sein. Wer wird mich dann überhaupt anstellen wollen?"

"Ja, das verstehe ich. Ich denke, irgend etwas wirst du schon finden. Wie ich verstanden habe, wurdest du ja nicht angeklagt, also sollte die Affäre kein Hindernis sein. Ich glaube, dass die Uni dicht halten wird."

Dan machte ein betrübtes Gesicht und wippte im Stuhl herum. Yiov sagte: "Vielleicht sollten wir besser das Thema lassen."

"Ja, lassen wir es. Aber, du, du kannst schon über dich und deine Zukunftspläne sprechen, wenn es dir passt. Du hast doch damals in der Gruppentherapie von einem Patent gesprochen."

Yiov runzelte die Stirn und sagte: "Ah, das hast du mitbekommen und erinnerst dich sogar daran?"

"Ja, natürlich. Überrascht dich denn das? Du weißt doch, das mich wissenschaftlich-technische Probleme interessieren. Darf ich vorschlagen, dass wir unter einander chemische Vorgänge diskutieren? Das würde uns sicher gut tun und uns auf Obermann halten."

Yiov war ziemlich erstaunt über Dans Vorschlag, aber eigentlich machte es Sinn. Deshalb antwortete er: "Keine schlechte Idee. Womit möchtest du denn anfangen?"

"Ich denke, wir könnten über photochemische Reaktionen diskutieren. Was meinst du?"

Kapitel 25

Yiovs Zustand hatte sich nach dem letzten Zwischenfall merklich verschlechtert. Er machte sich Vorwürfe, weil er sich hatte provozieren lassen. Keren hatte versucht, ihn zu ermuntern:

"Du musst dich wirklich nicht beschuldigen. Dan hat dich richtig provoziert, und es war doch er, der dich gewalttätig angegriffen hat!"

"Das schon, aber ich hätte mich nicht mit ihm in diese explosive politische Diskussion einlassen sollen."

In der Therapiestunde mit Koppelevic diagnostizierte dieser die Verschlechterung in Form einer gewissen Apathie und verschrieb ihm Lithium:

"Bitte nimm es regelmäßig ein, das wird dich stabilisieren. Aber bitte Geduld, denn es braucht schon einige Tage, bis du die Besserung fühlen wirst. In drei Tagen werden wir dir eine Blutprobe nehmen, um zu sehen, ob die Dosierung korrekt ist."

Bei Dan hatte sich ebenfalls eine Destabilisierung entwickelt. Der Ausdruck davon war, dass er seine Hygiene vernachlässigte und sich nicht mehr waschen wollte. Nach einigen Tagen, als sein Körpergeruch einen ätzenden Gestank verbreitete, nahmen ihn zwei Krankenpfleger etwas unsanft in die Dusche und desinfizierten ihn mit einer medizinischen Seife.

Dazu kam, dass er anfing, gegen Koppelevic während der Therapie heftige Vorwürfe einer Verschwörung zu machen: "Ihr kollaboriert ja mit der Uni, die euch beauftragt hat, mich fertig zu machen!"

Koppelevic fragte: "Wieso glaubst du das? Woher hast du diesen Gedanken?"

"Ich habe ja genau gehört, wie ihr mit Nathan, dem Dekan gesprochen habt. Der steckt ja mit Rivka unter einer Decke, und die wollen mich loshaben. Du musst wissen, dass ich mit meinen Forschungsresultaten einen weltweiten Durchbruch gemacht habe, und diese Resultate wollten sie verschwinden lassen."

Koppelevic versuchte Dans Psychose neben der Psychotherapie auch pharmakologisch zu lindern und verschrieb ihm eine erhöhte Dosis von Risperdal als Antipsychotikum auf vier Milligramm pro Tag. Die anfänglichen zwei Milligramm waren offenbar zu niedrig gewesen.

Diese Maßnahmen schienen nach einigen Wochen ihre Wirkung nicht verfehlt zu haben. Dan fing wieder an, an seinen Keramikwerken zu basteln. Diesmal war es eine Tonfigur aus dem ägyptischen Altertum, nämlich Hatschepsut die Königin, mit riesigen Augen. Dan hatte sich schon immer nach einer mächtigen Frau gesehnt. Eine die ihm das Leben ordnen würde. Doch diese Frau schien ihm räumlich und zeitlich weit entfernt. Hie und da erschien sie ihm im Traum. Er glaubte in ihr Rivka wieder zu erkennen.

Yiov hingegen ging wieder in die Boxtherapie. Beim hineinschlagen mit voller Stärke, sprach er keine Kommentare mehr dazu - dies lag ihm nicht - aber dafür stöhnte er jedesmal laut. Mit zerzausten Haaren und verschwitzt ging er sich dann jeweils duschen, was ihn wieder abregte. Dabei dachte er an Keren, mit der er manchmal zusammen unter strömendem Wasser gestanden war. Er sehnte sich nach ihr. Das gemeinsame tägliche Leben mit ihr fehlte ihm. Ihr Humor, die tröstenden Worte, das liebe Streicheln.

"Wäre dies nicht die bessere Therapie für mich?", fragte er laut vor sich hin. "Das wäre doch die Lebenstherapie", hatte er mit verschmitztem Lächeln Koppelevic gesagt.

"Das stimmt eigentlich schon, und wir werden dich entlassen, so bald es uns als erfolgversprechend erscheint. Wir möchten auf jeden Fall die Chance auf einen Rückfall minimieren".

Yiov ging auch wieder in die Kunsttherapie, um an seinen Malübungen weiter zu feilen. Er und Dan begrüßten sich zuerst stumm. Nachher schaute Dan bei Yiov kurz vorbei und lobte sein Maltalent. Inzwischen hatte Yiov bereits die Spachteltechnik entwickelt. Er malte diesmal einfache geometrische Formen: Vierecke, Dreiecke, Kreise und ovale Flächen. Er hatte die Malkunst damals bei einem Museumsbesuch lieben gelernt. Ein Maler, dem es ihm speziell angetan hatte, war Paul Klee. Nun versuchte er sich von ihm inspirieren zu lassen. Zum Ausmalen der Formen wählte er pastellfarbige Töne, denen er mit dem Spachtel Struktur verlieh.

Nach dem Abendessen begaben sich die Patienten in den Aufenthaltsraum. Dan setzte sich zu Yiov. Die Wärter waren auf Hochalarm.

Dan sprach als Erster: "Magst du eine Partie Schach spielen?"

"Ja, warum nicht? Du schuldest mir ja sowieso noch eine Revanche."

Während dem sie die Figuren aufstellten, sagte Dan: "Ich hoffe, es geht dir wieder besser. Es tut mir leid, wegen der Schlägerei damals. Aber ich bin jetzt in besserer Kontrolle. Und in politische Diskussionen mag ich mich nicht mehr einlassen. Das bringt ja sowieso nichts. Die Politiker kümmern sich ja auch nicht um unser einer."

"Ja, da hast du recht. Dafür haben sie entweder kein Interesse oder noch wahrscheinlicher sind sie vor allem damit beschäftigt, den Großunternehmern zu helfen, noch mehr Kapital anzuhäufen. Ein Dorn im Auge ist vor allem das enge Bündnis zwischen Kapital und Regierung, vor allem zu Gunsten der Rüstungsindustrie. Dieser Busch zum Beispiel droht wieder Mal mit Krieg gegen Saddam Hussein mit dem Vorwand, dass dieser Waffen zur Massenvernichtung besäße. Bisher hat er aber keine Beweise geliefert. Hatten sie eigentlich vom Vietnamkrieg nichts gelernt?" Sie schauten einander mit stillem Einverständnis an. Dann fragte Yiov: "Wer fängt an?"

"Diesmal hast du Weiß."

Anfänglich schien es, als ob sich Yiov diesmal eine vorteilhafte Position mit guten Gewinnchancen erarbeitet hatte. Er hatte Dans Verteidigungsstellung zerlöchert, seine Türme auf Angriff platziert. Doch wegen einer Unaufmerksamkeit hatten sich die Kräfte auf dem Brett ausbalanciert. Letztendlich gewann Dan, da es ihm gelungen war, einen Bauern in eine Dame umzuwandeln. Yiov war etwas frustriert. Dan sah es ihm an, und deshalb lenkte er das Gespräch wieder auf seine Überlegungen zur Zukunft.

"Hör mal, Yiov," fing Dan seinen Gedankengang an, "ich möchte nach meiner Entlassung gerne eine Firma aufziehen, und zwar in Technologien zur Nutzung von Sonnenenergie. Falls du interessiert bist, würde ich dies gerne in Partnerschaft mit dir tun. Was meinst du?" Dan schaute Yiov mit prüfenden Augen an, und als Yiov nicht sofort antwortete, ergänzte er: "Du musst mir nicht sofort antworten. Aber überleg es dir doch."

Nach einigem Nachdenken, antwortete Yiov: "Das tönt ja interessant. Woran genau hast du denn gedacht?"

"Also, ich arbeite an diversen Projektideen, und die Möglichkeiten sind offen. Ich beruhe mich dabei erwartungsgemäß auf meiner Expertise in kolloidalen Halbleitern."

"Ja, das habe ich mir schon gedacht. Aber meiner Meinung nach gibt es da etliche technische Probleme, die gelöst werden müssten, bevor eine praktische Anwendung möglich wird. Da ist das Problem der zu kleinen Lichteffizienz, an dem sich ja auch die fortgeschrittene Gruppe aus Lausanne die Zähne ausbeißt. Und dazu kommt noch das Problem der Verpackung von flüssigen Systemen. Wie gedenkst du denn alle diese Probleme zu lösen?"

Dan war von diesen Fragen sichtlich verlegen und antwortete etwas gereizt:

"Yiov, also etwas Vertrauen in meine Erfahrung solltest du schon haben, sonst hat es ja keinen Zweck, dass wir zusammen arbeiten."

"Dan, das war nicht so gemeint. Ich weiß ja um deine Erfahrungen. Aber um ans Ziel zu gelangen, sollten wir da die offenen Fragen nicht auf den Tisch stellen?"

Die Wärter waren aufgeschnellt, als sie Dans hohe Stimme vernommen hatten. Doch Dan schien sich wieder beruhigt zu haben, und die Wärter stellten Entwarnung fest.

"Yiov, du hast recht. Also, wie siehst du die Lösungsansätze der Probleme?"

Yiov zögerte etwas mit seiner Antwort und sagte dann: "Ich habe dazu, muss ich sagen, meiner Meinung nach bahnbrechende Patentideen. Wenn du sie für dich behalten kannst, dann kann ich dir diese gerne erzählen."

"Versteht sich von selber. Und falls wir was zusammen entwickeln werden, dann werden wir das Patent auf Kosten der Unternehmung einreichen. Also, bitte, erzähle mal."

Yiov schaute im Kreis herum, räusperte sich und sprach leise, fast flüsternd:

"Das Bedeutende an der Patentidee ist, dass sie auf einen Schlag die zwei zentralen Probleme löst. Das Problem der Lichteffizienz, die ja an zunehmenden Verlusten des Lichts durch Lichtstreuung und Absorption mit zunehmender Tiefe im Reaktor leidet, löse ich mit einem Bündel aus Faseroptik."

Dan hob seine Augenbrauen und sagte: "Interessant. Mach weiter."

"Zwischen den Fasern befindet sich ein Gel mit den Halbleiterteilchen. Das ganze System erhält somit die nötige mechanische Stabilität und kombiniert die Eigenschaften eines flüssigen Systems mit dem eines

Festen. Voilà, so haben wir zwei Fliegen mit einem Schlag erledigt."

Dan war über die Genialität der Idee und dessen Urheber mächtig erstaunt, beherrschte sich aber und gab seiner Begeisterung bloß einen moderaten Ausdruck:

"Das sind ja schon mal einige gute Ansatzpunkte, die wir noch im Detail ausarbeiten und entwickeln müssen."

"Da hast du recht. Doch für heute lass es uns gut sein." Yiovs Blick wanderte im Raum umher, und schließlich sagte er nach einigem Zögern: "Hm, Dan sag mal, wunderst du dich manchmal auch, wer du eigentlich wirklich bist? Manchmal bin ich mit mir und meiner Person zufrieden, und dann wiederum finde ich mich abscheulich, wertlos – als ob in mir zwei verschiedenen Menschen wohnen."

Dan schaute Yiov verblüfft an. Verblüfft deswegen, weil sein Kumpan seine Gefühle bisher nie so offen ausdrückte. Nun fühlte er sich damit auch angesprochen:

"Schon erstaunlich. Ich mache mir oft ähnliche Gedanken. Manchmal muss in mir ein anderes Wesen stecken. Ein Wesen wie von einem andern Planeten, das mein Gehirn übernimmt und mich kontrolliert. Koppelevic hat mir erklärt, dass wir über unser Unterbewusstsein keine oder fast keine Kontrolle haben. Er macht mit mir Psychoanalyse über meine Träume, um es an die Oberfläche zu bringen."

"Interessant und gelingt es dir, das Wesen kennen zu lernen?"

"Das sei gar nicht einfach, sagte er mir, aber ansatzweise schon. Aber entschuldige, ich mag jetzt nicht mehr darüber sprechen - ich habe Kopfschmerzen bekommen."

Kapitel 26

"Wie geht es dir, Yiovi?" Keren sah blendend aus an diesem Sommertag. Sie trug wieder mal ihr anschmiegendes Batik T-shirt. Ihr pechschwarzes Kraushaar trug sie darüber offen.

"Ich muss sagen, schon wesentlich besser, als auch schon. Und du?"

"Ich habe frohe Nachrichten. Mein Forschungsvorschlag fürs Doktorat wurde angenommen. Jetzt habe ich also freie Bahn. Und meine Assistenzstelle haben sie mir auch aufgestockt, so dass mein Lohn sich fast verdoppelt hat."

"Wow, das ist doch wunderbar. Ich freue mich so für dich!" Yiov war aufgesprungen und umarmte Keren.

Als sie sich wieder unter den verknorpelten Johannis-
brotbaum gesetzt hatten, fuhr er fort:

"Stell dir vor. Dan und ich haben schon seit einigen
Wochen Pläne für eine Technologiefirma geschmiedet.
Dabei werden wir versuchen, meine Patentideen
umzusetzen. Er findet meine Ideen gut und hat im
großen und ganzen daran nichts auszusetzen."

"Das freut mich für dich, dass ihre eure Feindseligkei-
ten abgelegt habt und du in Dan sogar einen passenden
Gesprächspartner gefunden hast", aber mehr sagte sie
nicht mehr dazu und schwieg. Yiov spürte, dass sie in
ein Unbehagen verfiel und fragte deshalb:

"Was meinst du, Keren, zu unsern Projektplänen? Hast
du etwa irgendwelche Bedenken?"

"Yiovi, das wichtigste ist, dass du vorsichtig vorgehst
und du nicht wieder enttäuscht wirst. Hast du dein
Patent irgendwo niedergeschrieben, damit dein
geistiges Eigentum geschützt ist?"

"Ja, ich habe mir dazu einiges an Notizen gemacht.
Aber jetzt wo du es aufgreifst, habe ich eine Idee: Ich
werde einen geordneten Patentvorschlag verfassen, und
den werde ich dir übergeben, damit du ihn bei einem
Notar hinterlegst. Was meinst du?"

Sie hielt an, da sie die schrecklichen, verzweifelten
Schreie eines Patienten vernahm. "Sag mal Yiovi, wie
kommst du damit zurecht?"

"Die Schreie? Die höre ich schon gar nicht mehr."

Sie nahm nun den Faden wieder auf: "Oh ja, das finde ich eine prima Idee!" Ihre nachdenkliche Miene hatte sich unmittelbar in ein breites Lachen umgewandelt, wobei ihre schneeweißen Zähne im Sonnenlicht erstrahlten.

Yiov war nun bestens motiviert, setzte sich in seinem Zimmer an den Tisch, nahm ein Heft zur Hand und fing an, seinen Patentvorschlag eifrig niederzuschreiben. Zuerst notierte er seine Hauptideen, Punkt um Punkt, angefangen mit dem chemischen Kolloid aus Halbleiterteilchen. Es war ihm klar, dass er verhindern musste, dass sein Patent mal von Konkurrenten umgehen werden konnte. Deshalb führte er eine breite Liste von Halbleiter Materialien auf, auch wenn er wusste, dass er davon nur einen kleinen Teil bearbeiten werden würde.

Danach kam das Gel-System an die Reihe. Er hatte noch an der Uni von einem Kollegen über organische Sol-Gel Verfahren gelernt. Diese organischen Silikonverbindungen konnten falls nötig gebrannt werden, um sie in glasförmige Strukturen umzuwandeln. Diese Strukturen hatten je nach Rezept mikroskopische Hohlräume in denen die Halbleiterkolloide im Prinzip eingeschlossen werden konnten.

Schließlich beschrieb er die Anordnung der Faseroptik, umgeben vom Gel, die das Licht in die zu aktivierende

Schicht einzuleiten hatte. Jetzt fing er an zu realisieren, dass ihm da wichtige Informationen fehlten. Er musste doch seine Erfindung als neuartig im Vergleich zum Stand der Technik beschreiben können. Dazu müsste er eine umfangreiche Literaturstudie durchführen, um das Bisherige überzeugend zu dokumentieren. Hier in der Klinik hatte es zwar eine Bibliothek für die Lesetherapie, die aber über keine wissenschaftlichen Bücher und Zeitschriften verfügten. Auch Patentschriften waren hier natürlich nicht verfügbar. Ein Besuch in der Nationalbibliothek an der Uni schien ihm nun unabwendbar. Er beschloss dies mit Koppelevic bei der nächsten Therapiestunde zu besprechen und eine Spezialerlaubnis zu beantragen.

Dazu kam auch noch ein wichtiger Punkt: Das Verfahren der Licht-Einkopplung mittels der Faseroptik gehörte ja in die Physik oder genauer in die Optik, und in diesem Gebiet war sein Wissen nur rudimentär. Er müsste sich also eigentlich von einem Spezialisten beraten lassen, um die einzelnen Details der optischen Anordnungen auszuarbeiten. Aber mit wem sollte er das tun? Da erinnerte er sich, dass Keren von einer Bekannten erzählt hatte, die Physikerin war. Deshalb brachte er diesen Punkt bei ihrem Besuch am folgenden Tag aufs Tapet:

"Sag mal, du hast doch eine gute Bekannte, Tanja heißt sie doch, oder, die an der Uni in Physik doktoriert?"

"Ja, stimmt. Was hat dich denn an sie erinnert?", sagte Keren etwas überrascht.

"Hör zu, in meiner Erfindung gibt es doch optische Fasern, und deren genaue Funktionsweise kenne ich nicht genügend. Ich müsste dies aber in der Patentanmeldung genau beschreiben, um sie glaubwürdig zu machen. Und deshalb habe ich mir überlegt, dass Tanja mir da helfen könnte. Was meinst du, könntest du sie fragen?"

"Ja bestimmt, das mache ich gerne. Jedoch kann ich dir nicht garantieren, ob sie Zeit und Interesse daran hat."

"Bestens, ich danke dir, mein Schatz. Falls sie nicht kann oder will, könntest du sie ja nach einem ihrer Kollegen fragen."

"Klar, mache ich. Ich berichte dir dann sofort, sobald ich sie getroffen habe."

Yiov war zufrieden und wartete gespannt auf die Antwort von Tanja und auf seinen Termin bei Koppelevic. Der war auf den nächsten Morgen angesagt. In der Nacht war er mehrmals aufgewacht und hatte die Toilette aufsuchen müssen. Sein Frühstück hatte er hastig eingenommen. Dan hatte ihm guten Morgen gewünscht und ihn auf ihre nächste Diskussionsrunde betreffend ihrer Entwicklung angesprochen. Yiov gab sein Einverständnis für die Abendstunden, aber von seiner Niederschrift des Vorschlags und den Absichten der Literaturstudie wollte er ihm vorläufig nichts erzählen.

Es war genau neun Uhr, als Yiov an der Tür zu Koppelevics Klinik anklopfte. "Herein!" ertönte es von innen. Yiov trat ein und setzte sich auf den Stuhl, während dem der Arzt noch Eintragungen in sein Journal beendete. Dann steckte er seinen Parker Kugelschreiber in die Brusttasche seines weißen Kittels und sah Yiov ernst aber empathisch an: "Guten Morgen Yiov, wie geht es uns heute? Also, wenn ich dich so betrachte, scheinst du mir heute guter Laune zu sein, stimmt's?"

"Dr. Koppelevic, mir erscheint deine Diagnose ziemlich genau. Siehst du, ich arbeite ja, wie schon angetönt, an einem Patent. Und dazu müsste ich eine Literaturstudie an der Uni durchführen". Yiov pausierte einen Moment, um des Arztes Gesichtsausdruck zu prüfen und fuhr dann ermutigt weiter: "Ich beantrage deshalb, dass ich jeweils für einige Stunden an die Uni darf, um in der Bibliothek zu recherchieren."

Koppelevic musterte nun seinerseits seinen Patienten: "Also, erstmals finde ich es prima, dass du dich wieder mit deinem Beruf befasst und dazu noch so kreativ. Ich denke, dass sollte machbar sein. Ich werde dies bei unserer ärztlichen Direktionssitzung beantragen. Aber eine Bedingung, solltest du bereits kennen: Es muss dann eine Begleitperson mit dir mitgehen. Das nur für den Fall, dass du dich schlecht fühlst, und damit er dich im Notfall zurück begleiten kann. Ich werde dir dann jeweils zwei Stunden Ausgang verordnen. Das sollte doch genügen, gell?"

"Oh, vielen Dank Doktor. Ich verspreche, es wird alles glatt und ohne Komplikationen ablaufen", sagte Yiov begeistert.

Kapitel 27

Tanja sah blendend aus. Sie trug ihr brünettes Haar in einem Pferdeschwanz. Ihr helles ungeschminktes Gesicht mit perfekter glatter Haut glänzte in der Sonne. Keren machte sie einander bekannt, obwohl ja beide wussten, wen sie trafen.

"Sehr angenehm", sagten beide fast im Chor.

"Und das ist Micha, der Begleiter aus der Klinik. Ich schlage vor, wir gehen in die Cafeteria und besprechen uns dort", sagte Keren.

"Ja gerne", antwortete Tanja mit breitem Lächeln.

"Was trinkst du Tanja oder möchtest du auch was essen?", fragte Keren, und nachdem Tanja und Micha sich nur einen Kaffee gewünscht hatten, fuhr Keren fort: "Bleibt ruhig sitzen, ich hole uns die Getränke".

Tanja lächelte Yiov erwartungsvoll an, worauf er mit seinen Erklärungen anfing:

"Keren hat dir wahrscheinlich bereits berichtet, dass ich an einer Erfindung zur Gewinnung von Sonnenenergie arbeite. Dabei handelt es sich um ein fotoelektrochemisches System, das ähnlich wie in fotovoltaischen Zellen das Licht in elektrische Spannung umwandelt."

"Ja, Keren hat mir was davon erzählt. Aber das ist ja nicht mein Gebiet. Also, wie kann ich dir dabei helfen?"

"Darauf komme ich ja gerade zu sprechen, hab' bitte Geduld mit mir", sagte Yiov etwas gereizt, worauf Micha, ihn mit Handbewegungen beschwichtigte, was sofort Wirkung zeigte. Er hielt kurz inne und betrachtete Micha. Es amüsierte ihn, Micha ausnahmsweise hier in ziviler Kleidung zu sehen. "Also, solche Systeme sind jetzt schon seit Jahrzehnten untersucht worden, aber bis jetzt zeigten sie nur einen sehr bescheidenen Wirkungsgrad von wenigen Prozenten. Meine Erfindung sollte da wesentliche Verbesserungen bringen."

Inzwischen war Keren mit dem Tablett voller Getränke zurückgekommen. Yiov nahm einen Schluck vom Orangensaft und fuhr fort:

"Um den Wirkungsgrad zu verbessern, muss unter anderm die Lichtkopplung ins System verbessert werden, da sonst wegen Lichtstreuung zu viel verloren geht. Deshalb habe ich an eine optische Anordnung aus Faserbündel gedacht. Und hier Tanja, könnte ich deine Expertise gut gebrauchen. Was meinst Du. Ich würde dir natürlich gewisse Rechte in Form von Tantiemen zugestehen."

"Das ist sehr nett von dir, aber schauen wir doch erstmals, ob das ganze überhaupt Sinn macht. Dazu habe ich schon mal einige erste physikalische Grenzbedingungen, die es einzuhalten oder zu umgehen gilt. Deshalb dazu meine ersten Kommentare: Wie ich verstehe, möchtest du das Sonnenlicht in die optischen Fasern einkoppeln. Dabei musst du wissen, dass das Licht nur innerhalb einer sehr engen Winkelöffnung in die Fasern eingeleitet werden kann. Dagegen spricht, dass sich der Einfallswinkel von Sonnenlicht während des Tages durch ihre Wanderung massiv verändert".

"Heißt das denn, dass meine Idee nicht realisierbar ist?", sagte Yiov mit gedämpfter Stimme.

"Nein, nein, nur nicht so schnell die Segel streichen. Da kommen mir spontan folgende Lösungsansätze in den Sinn. Der erste wäre das System mittels eines Motors die Sonnenbahn verfolgen zu lassen. Der zweite wäre mit optischen Linsen das Licht zu konzentrieren, was gleichzeitig den Wirkungsgrad erhöhen sollte und drittens, könnte man spezielle Beugungsgitter an der Oberfläche anbringen. Die würden die Effizienz der Lichtkopplung speziell bei flachen Winkeln erhöhen."

Yiov hatte Tanja mit wachsamen Augen und offenem Mund zugehört und atmete tief ein. "Das tönt ja schon mal vielversprechend!"

"Aber nun gibt's noch eine harte Nuss zu knacken", fuhr Tanja fort. "Da handelt es sich um die Wechselwirkung des Lichts innerhalb der Fasern mit der Umgebung außerhalb. Im Idealfall sollte ja kein Licht aus den Fasern entweichen. In konventionellen Fasersystemen ist das der Fall. Deshalb die Frage, möchtest du das Licht nicht dem ganzen System zur Verfügung stellen? Kannst du mir etwas zur räumlichen Anordnung erklären?"

Yiov zögerte eine Weile, wobei seine Gedanken um die Geheimhaltung seiner Ideen kreiste. Doch dann besann er sich, dass er ja zwei Zeugen bei sich hatte, die seine Offenbarung bestätigen könnten. Auch schien ihm Tanja eine sehr glaubwürdige Person, und ohne sie würde er im Augenblick nicht weiterkommen. Also nahm er seine Notizen zur Hand und öffnete sie bei einer Skizze, die er angefertigt hatte und zeigte mit einem Stift, was er gerade ansprach: "Also, siehst du Tanja, das ist ein Querschnitt durchs System. Die optischen Fasern sind mit dem fotoaktiven Medium umgeben. Das Medium besteht aus feinkörnigen Halbleiter

Teilchen, die in einem elektrochemischen Gel eingebettet sind".

"Kennst du zufällig den Brechungsindex der Teilchen und des Gels? Das bestimmt nämlich, wieviel Licht aus den Fasern in das Medium rausdringen kann", sagte Tanja.

"Nein, nur sehr ungenau. Ich kann sie mir aber bei meinem Bibliotheksbesuch raussuchen. Ich schicke sie dir, sobald ich sie habe. Ok?".

"Ja, das wäre hilfreich, und dann könnte ich mal versuchen, ein mathematisches Model des physikalischen Systems aufzustellen, damit wir es dann am Computer berechnen können."

"Ja, das wäre toll. Ich denke, am besten lasse ich dir die Daten über Keren zukommen. Danach könnten wir uns ja wieder treffen. Was denkst du, ginge dir das wieder in einer Woche?" Yiov schaute Tanja direkt in die Augen, schwenkte dann den Blick zu Keren und Micha, die beide nickten.

Aber Tanja erwiderte: "Ich glaube mindestens zwei Wochen müsstest du mir schon geben, bis ich das Modell und das Computerprogramm entwickelt habe. So einfach ist es auch wieder nicht".

"Verstehe, kein Problem. Aber ich bitte dich, meine Offerte von vorher mit den Tantiemen anzunehmen, denn ich möchte nicht, dass du pro Bono arbeitest. Andererseits haben wir noch keine finanzielle Unterstützung fürs Projekt."

Tanja wusste um Yiovs Zustand. Sie hatte ein gutes Herz und wollte Yiov und Keren helfen, und deshalb hatte sie an gar kein Entgelt gedacht. Aber jetzt wo er darauf bestand, akzeptierte sie mit "Einverstanden". Dann verabschiedeten sich die drei per Händedruck.

Yiov mahnte Micha daran, dass ihm ja noch eine zusätzliche Stunde zukam, die er in der Chemiebibliothek verbringen wollte. Sie nahmen den altbekannten Fußweg innerhalb der Uni, der an den großzügig angelegten und gepflegten Rasenflächen entlangführte. Sie hatten eine beruhigende Wirkung auf Yiov, und Micha war auch davon angetan und bemerkte:

"Hier hast du doch studiert, gell?"

"Ja, ja, genau, das war sozusagen mein zuhause während vielen Jahren."

"Da hast du's aber schön gehabt."

"Eigentlich schon, aber auch nicht immer."

"Oh, entschuldige, blöd von mir!" Micha war sich nun seines Ausrutschers bewusst geworden.

"Nein, nein, ist ja nicht's passiert!"

Als sie sich gerade der Bibliothek näherten, siehe da, so ein Zufall, kam gerade Rivka aus dem Eingang heraus.

Sie hatte ihn zuerst nicht erkannt, da er sich inzwischen einen langen hell-braunen Bart hatte wachsen lassen.

"Shalom Rivka!", sprach er sie an.

"Oh, Yiov!", rief sie entzückt. "Wie geht es dir? Du weißt doch, wie leid mir dein Weggang und deine Erkrankung getan haben! Wie fühlst du dich in der Klinik? Ich wollte dich schon lange besuchen kommen, aber dann kam mein Sabbatical und ich musste Hals über Kopf nach England verreisen. Aber jetzt werde ich es bald nachholen."

"Micha, darf ich vorstellen? Das ist Professor Bar Ei-than, meine ehemalige Chefin hier an der Uni. Rivka, dein Besuch würde mich enorm freuen. Aber du hast doch sicher vernommen, dass sich auch Keshet in meiner Klinik aufhält?"

"Ich habe zwar gewusst, dass Dan hospitalisiert wurde, aber der Name der Klinik war mir entfallen. Und was bringt dich an die Uni?"

"Ich wollte etwas die neuesten Journale studieren, um mich up-to-date zu halten."

"Das finde ich aber toll, dass du am Ball bleiben willst."

Kapitel 28

Yiov hatte bei seinem Bibliotheksbesuch an der Uni wichtige Daten herausgesucht, sie gefunden und sich diese in sein Notizheft hineingeschrieben. Nun wartete er auf Kerens Besuch in der Klinik, diesmal nicht nur der Sehnsucht wegen. Der Besuch war auf den nächsten Tag vereinbart, also musste er sich noch etwas gedulden. Der Tag ging nur kriechend vorbei, und als sich Dan am Abend zu ihm im Aufenthaltsraum setzte, war er eigentlich ganz froh um dessen Gesellschaft. Doch war ihm ein Gespräch über ihr Projekt nicht angenehm, da er ihm noch nichts von seinem Patententwurf erzählen wollte. Irgendwie war er nach dem Gespräch mit Keren doch zum Schluss gekommen, dass er Dan nicht alles preisgeben sollte. Deshalb offerierte er ihm jetzt, dass sie wiedermal eine Schachpartie spielten. Dabei wird ja normalerweise nichts oder kaum gesprochen. Dan willigte sofort ein, und sie begannen, die Figuren aufzustellen. Yiov zog weiß und begann zu eröffnen. Das Spiel entwickelte sich zu einem raschen Schlagabtausch. Es fielen einige Bauern, die Springer, Läufer, Türme und zuletzt sogar die Damen. Das ausgeglichene Endspiel schien keinem einen Sieg zu versprechen. Deshalb sagte Dan nach ziemlich langem Nachdenken: "Yiov, ich offeriere dir ein Remis. Einverstanden?"

Yiov erwiderte: "Na gut. Besser Remis als verlieren."
Und darauf brach er in ein Lachen aus, in das Dan ein-
stimmte.

Draußen prasselte der Regen an die Fenster, und so
kam ihnen ein heißer Tee gerade richtig. Sie gossen
sich vom Konzentrat aus dem kleinen Kännchen in die
Tassen und verdünnten es mit kochendem Wasser aus
dem Samowar. Yiov legte sich auch einige Blätter der
Minze ins Glas, welche Dan nicht mochte. Nachdem
sie sich wieder gesetzt hatten, erzählte Dan:

"Mir kam dieses Spiel vor wie ein Déjà-vu.
Möglicherweise hat es tatsächlich in meiner Kindheit
stattgefunden, als ich manchmal mit meinem Vater
spielte. Er war ein starker Spieler, typisch für osteu-
ropäische Einwanderer. Ich habe damals immer gegen
ihn verloren, außer diesem einen Mal, wo er mir ein
Remis anbot. Das machte mich sehr stolz, dazumal".

Yiov nickte mit etwas traurigen Augen, hatte er doch
keine solchen Erlebnisse mit seinem Vater zu verzeich-
nen.

Dan fuhr das Gespräch fort: "Aber eben die Erinnerung
ist nur vage. Möglicherweise habe ich das nur
geträumt. Schon komisch wie unser Gehirn uns
manchmal was vorgaukelt. Manchmal sehe ich Visio-
nen vor mir, und da frage ich mich dann, ob das Wirklichkeit ist. Oft bin ich fest davon überzeugt, aber dann

kommen mir die Zweifel. Hat wahrscheinlich schon mit meiner Krankheit zu tun."

"Nein, nein, Dan, das kann völlig normal sein. Das kann auch bei sogenannt gesunden Menschen vorkommen. Kerens Vater zum Beispiel hat oft einer Anekdote aus der Kindheit Kerens zugehört, die ihre Mutter gerne immer wieder von neuem erzählte und dann steif und fest behauptet, er wäre dabei gewesen".

"Ja, das stimmt sicher manchmal, Yiov. Ich denke da auch ans Fernsehen und die Zeitungen. Da werden oft Unwahrheiten verbreitet, und wenn sie oft genug wiederholt werden, dann glauben es die Leute, ohne den Tatsachen auf den Grund zu gehen".

"Genau, und wenn du schon das Fernsehen erwähnst, dann kommen mir auch die Reklamen in den Sinn. Diese enthalten offensichtliche Lügen, aber komischerweise stören sich die Leute nicht daran. Oder sind sie derart naiv?"

"Übertreibst du da nicht ein bisschen, Yiov? Schließlich wollen die Firmen ihre Produkte verkaufen, und da preisen sie diese doch mit den besten Qualitäten und den hübschesten Mädchen an. Ist doch legitim, oder?"

"Ja, sag mal Dan, wenn jedes konkurrierende Produkt gleichzeitig das Beste sein soll, so kann es ja nicht die Wahrheit sein. Aber das kann man noch irgendwie als

Marketing Trick akzeptieren. Aber du kennst doch die beliebte Fernsehmoderatorin Chana Mildschein?"

"Na klar, die Sendung am Freitag Abend "Oneg Shabbat" leert ja jeweils schon sieben Jahre lang alle Straßen".

"Eben und nun verkauft sie ihre Haut ganz billig für Werbung. Und dabei preist sie ein Altersheim an, wo sie angeblich wohnen soll. Es sei so schön dort, erzählt sie mit ihrem charmanten Lächeln. Aber es ist ja völlig klar, dass sie nicht wirklich dort lebt. Das ist doch Vortäuschung falscher Tatsachen!"

"Ja, eigentlich hast du schon recht. Wenn jemand sich davon überzeugen lässt, in dieses Altersheim zu ziehen und er sie dann dort nicht antrifft, könnte er sich ja übers Ohr gehauen fühlen."

Yiov begann zu gähnen und Dan sagte: "Du bist ja schön müde und ich eigentlich auch. Komm wir gehen schlafen."

Sie gingen zusammen den Gang entlang, trennten sich vor Yiovs Zimmer und wünschten sich Gute Nacht. Kurz danach schaute Schwester Tamar vorbei, brachte ihm seine Medikamente und vergewisserte sich, dass er sie auch tatsächlich einnahm.

Kapitel 29

Yiov hatte sich vor allem in den Nächten sehr einsam gefühlt und hatte Keren gefragt, ob sie manchmal mit ihm die Nacht verbringen wolle. Sie hatte nach kurzem Überlegen ja gesagt, und so hatte er das Thema von Übernachtungen außerhalb der Klinik bei Koppelevic vorgebracht. Nachdem der Psychiater sich mit der ärztlichen Direktion beraten hatte, sagte er bei der nächsten Visite:

"Wir haben entschieden, dass wir deinem Wunsch nachkommen können. Fangen wir mal demnächst mit einer Übernachtung an, und dann besprechen wir das weitere. OK?"

"Vielen Dank, Doktor, ich werde mit Keren abmachen und teile dann mit, an welchem Tag wir es durchführen möchten".

Yiov ging sofort zum Telefonapparat in der Lobby. Keren nahm aus ihrem Büro am mathematischen Institut ab. "Keren ich hab' wunderbare Nachrichten. Koppelevic hat mir den Ausgang erlaubt. Was sagst du dazu?"

"Oh, das ist ja so toll! Ich bin froh für dich, also für uns beide."

"Wann wollen wir's durchführen?"

"Also für mich wär's am praktischsten, wenn wir's am Freitag ansetzen könnten. Da würde ich mich dir voll widmen können. Gibst du mir dann noch Bescheid?"

Keren kam wie abgemacht am Freitag nach dem Mittagessen an, und Tamar instruierte sie:

"Wir haben beschlossen, dass Yiov am besten am Sonntag bis gegen acht Uhr morgens zurückkommt, denn am Schabbatausgang haben wir weniger Personal. Hier bitte sind Yiovs Medikamente für zwei Tage. Ich wünsche euch beiden ein schönes Wochenende."

Beide sagten fast wie im Chor: "Vielen Dank Tamar, auch dir ein schönes Wochenende!"

Keren schlug vor, dass sie am Nachmittag noch einen Spaziergang durchs malerische Ein Karem Quartier machen würden, was Yiov sofort begeistert begrüßte. Er liebte dieses kleine Dorf mit seiner geschichtsträchtigen Vergangenheit, in Mitten der judäischen Hügellandschaft. Keren hatte sich inzwischen einen Occasion Volkswagen erworben, und sie chauffierte geschickt die Herzlstraße hinauf und nahm dann die steilabfallende kurvige Straße, wo sie im Quartier angekommen bald einen Parkplatz fanden. Nun schritten sie das kleine Sträßchen hinab bis zum Maria Brunnen. Sie lasen auf einem Schild: "Hier trafen sich angeblich Maria und Elisabeth, beide schwanger, die Erste mit Jesus und die Zweite mit Johannes dem Täufer". Es drängten sich Touristen an den Brunnen, um ihre

Flaschen mit dem heiligen Nass zu füllen. Danach gingen die beiden nebenan in einen Park und setzten sich unter einen Feigenbaum, dessen Früchte schon reif und saftig waren. Yiov pflückte einige davon, und sie schmeckten fabelhaft. Keren hatte belegte Brote und Wasser mitgebracht, woran sie sich erlabten.

Später fuhren sie die steile Straße hinauf bis ins Kiriat Yovel Quartier, wo Keren kürzlich in eine kleine Dreizimmerwohnung eingezogen war. Sie konnte sich das von ihrem Assistentlohn leisten. Es war inzwischen Abend geworden, die Sonne war golden-orange hinter den Hügeln verschwunden, und bald danach kehrte die Dunkelheit rasch ein, typisch für diesen Breitengrad. Keren kochte ihnen einen starken schwarzen Kaffee, und sie setzten sich auf das improvisierte Sofa, als Yiov ihr die Hand hielt und sprach:

"Keren, ich hab für dich eine Gedicht geschrieben. Darf ich es dir vorlesen?"

"Oh Yiov, ich bin ganz gerührt. Natürlich will ich es hören!"

Yiov nahm sein Heft hervor und begann daraus vorzulesen:

"Oh Keren, Keren Liebling Mein!
Wie könnt' ich ertragen das Dasein
Ohne deine Liebe, so klar wie der Quell,
Du beruhigst in mir meinen Rebell.

Mein Los mir ist eine unendlich' Qual
Ich hadre oft mit dem leid'gen Schicksal
Doch dann seh' ich dein glänzend' Bild
Und mir wird's glückselig, mir wird's mild.

"Yiov, das ist das Schönste, das du mir je gewidmet hast. Ich bin ganz schwach in den Beinen!"

Sie schmiegte sich an ihn und begann ihn auf den Mund zu küssen. Er erwiderte ihre Küsse leidenschaftlich und bald schon fielen ihre Kleidungsstücke auf den Boden. Sie verstreuten ihre Liebkosungen auf den ganzen Körper. Dann zog sie ihn an der Hand ins Schlafzimmer und machte hinter sich die Türe zu. Ihre Zweifel, ob Geschlechtsverkehr Yiov aus dem Gleichgewicht bringen könnte, waren wie verflogen.

Kapitel 30

Rivka ging freudig strahlend Yiov entgegen, als er ins Besucherzimmer eintrat. Sie trug eine geblümte Bluse und Bluejeans, ihre grau melierten Haare in einen Knoten zusammengebunden.

"Hallo Rivka, so schön, dass du gekommen bist!"

"Ist doch selbstverständlich. Du bist mir doch wie ein Sohn. Wie geht es dir? Du siehst ja ganz gut aus. Hast dir also einen Bart wachsen lassen. Finde, der steht dir wirklich gut".

"Danke, ist auch einfacher, da brauche ich mich nicht zu rasieren, und die früheren Hautausschläge sind auch verschwunden. Aber was schwafle ich da so, komm, wir setzen uns. Darf ich dir einen Tee oder Kaffee bringen?"

"Einen Kaffee kann ich jetzt gerade gut gebrauchen. Ich komme von einem langen Tag, mit Gruppenbesprechung und danach Senatssitzung". Rivka nahm einen großen Schluck und sagte dann: "Hör mal Yiov, überlege es dir doch. Der Senat hat auf meine Empfehlung beschlossen, falls du deine Doktorarbeit beendigen möchtest, dass die Uni dir das enorm erleichtern würde. Wenn du erst mal hier draußen bist, dann müsstest du bloß eine einzige umfangreiche oder zwei kürzere Publikationen einreichen, und das würde dann deiner Dissertation entsprechen. Ich helfe dir natürlich dabei."

"Das ist wirklich so nett von dir und dem Senat. Ich werde es mir überlegen. Momentan, wenn ich mir Gedanken zu meiner Zukunft mache, dann denke ich eher an Industrieentwicklung. Ich möchte das nicht vor dir verheimlichen. Also, bitte sei nicht enttäuscht, wenn es dann mal so rauskommen wird".

"Nein, nein, mach' dir deswegen keine Sorge. Das wichtigste ist jetzt, dass du erst gesund wirst". Yiov betrachtete sie dankbar. Dann sagte sie etwas zögernd, weil sie wusste, dass Yiov an ihr hing: "Ich werde mich jetzt von dir verabschieden. Ich muss noch bei Dan vorbeischauen. Man hat mich beauftragt, mal nach seinem Befinden zu schauen. Ich hoffe, das stört dich nicht".

"Nein, das verstehe ich. Ich komme inzwischen ja auch ganz gut mit ihm aus. Wir spielen Schach zusammen".

Wie abgemacht begab sich nun Rivka ins Besprechungszimmer, wo sich Dan bereits in Gegenwart von Dr. Gutermann und Micha befand. Rivka, nachdem sie sich vis-à-vis von Dan gesetzt hatte, sprach:

"Ich bringe dir die besten Genesungswünsche des Senats. Es tut uns allen und nicht zuletzt mir persönlich leid, das Schicksal, das dir widerfahren ist. Wenn wir was für dich tun können, so sag es uns bitte. Und sag mal, wie geht es dir?" Sie hatte wirklich Mitleid mit ihrem ehemaligen Kommilitonen, war aber gleichzeitig auch froh, dass sie den abnützenden Konkurrenzkampf mit ihm nicht mehr ausfechten musste.

"Danke dir Rivka, dass du zu Besuch kamst. Ich bin mir heute völlig bewusst, dass was damals passiert ist, meine Schuld, meine Verantwortung war. Mir geht es heute wesentlich besser. Die Behandlung hier ist ausgezeichnet und dank den Medikamenten fühle ich mich ausgeglichener." Dan hatte dabei auch Gutermann angeblickt, welcher einfügte:

"Jawohl, das kann ich bestätigen, und wir denken sogar bereits daran, Dan in naher Zukunft zu entlassen. Doch vorher werden wir noch eine umfassende Untersuchung durchführen, um den Schlussbericht mit unsern Empfehlungen zu verfassen."

"Oh, das sind ja tolle Nachrichten. Und hast du dir schon Überlegungen dazu gemacht, was deine Zukunftspläne sein könnten?"

"Ganz genau noch nicht, aber ich denke an eine Stelle in industrieller Forschung. Eventuell sogar als Unternehmer. Aber dazu bräuchte ich natürlich Investitionsgelder."

"Dan, wenn du mal einen konkreten Vorschlag ausgearbeitet hast, dann unterbreite ihn doch dem Technologie-Transfer Büro an der Uni, und die würden es dann wohlwollend prüfen".

Dan sperrte seine Augen auf, denn beim Erwähnen dieses Büros wurde ihm erstmal schon etwas bange. Aber er dachte sich im Stillen: "Dan, du darfst jetzt nicht ausrasten, sonst ist alles wieder im Eimer." Und laut antwortete er: "Das sind ja gute Zuversicht, das weiß ich zu schätzen!"

"Also dann. Ich muss leider gehen. Alles Gute, Dan! Bitte melde dich!"

"Danke Rivka, schön, dass du vorbeigeschaut hast. Wenn du wiedermal deinen Studenten Yiov besuchst, schau doch bitte auch bei mir vorbei."

"Klar, werde ich machen. Schönen Abend noch."

Nach dem Rivka und Dan das Zimmer verlassen hatten, sagte Micha zu Gutermann:

"Das ist doch ganz gut gegangen. Unsere Befürchtungen waren vergeblich."

"Ja, Micha, Vorsicht ist immer angesagt, bei solchen potentiellen Konflikten, aber ohne angeben zu wollen, dachte ich mir, das es in etwa so verlaufen werde. Dabei hast du deine beruhigende Rolle gut gespielt."

"Danke fürs Kompliment. Schon eine beeindruckende Person, diese Professorin Bar-Eithan. So strahlt so ein selbstsicheres aber doch sympathisches Auftreten aus!"

"Jawohl Micha, das finde ich auch. Es wäre an der Zeit, dass es noch mehr solche Frauen in den einflussreichen Positionen in unserer Gesellschaft geben würde."

"Stimmt genau, Dr. Gutermann, vielleicht sollten wir schon mal hier in der Klinik damit anfangen."

Koppelevic eröffnete die ärztliche Direktionssitzung: "Werte Kollegen, wir haben heute genau eine Stunde Zeit. Ich werde die Sitzung pünktlich beenden müssen, da ich direkt anschließend an eine Konferenz muss.

Also ich bitte jeden, sich kurz zu halten". Koppelevic schaute über seine Brille in die Runde und fuhr weiter: "Heute besprechen wir den Patienten Dan Keshet und möchten entscheiden, ob wir ihn aus der Klinik entlassen können. Ich bitte deshalb die Resultate aller Untersuchungen vorzutragen. Ich bitte, dass Dr. Simantov als erstes die medizinischen Resultate zusammenfasst".

Dr. Simantov, der Abteilungsleiter für innere Medizin, war ein junger schlanker Mann von Mitte Vierzig, hatte seine Spezialisierung im Hadassaspital vollendet und hatte bald einmal seine guten Diagnosen und tiefes medizinisches Wissen an den Tag gelegt, so dass seiner Beförderung nichts im Weg gestanden hatte. Er sprach in ruhiger sachlicher Stimme:

"Die Werte des Blutdrucks und die Fieberkurven sind stabil. Die Labor Resultate sind innerhalb der Normwerte, außer einem etwas niedrigem Vitamin D Wert, den ich auf Grund Keshets Sonnenmangel als nicht kritisch betrachte. Wir haben ihm nun Vitamintropfen verschrieben. Gemäß Schwester Tamar nimmt er seine Medikamente regelmäßig ein, was sich ausgezeichnet bewährt hat". Er schaute kurz zu Tamar hinüber, die die Aussage mit Kopfnicken bestätigte, während dem sie emsig weiter protokollierte. Dann sagte er abschließend: "Herz und Lungen sind normal."

"Vielen Dank Dr. Simantov. Wie steht es mit der neurologischen Beurteilung, Dr. Garfunkel?"

Garfunkel war ein älterer Herr mit fast ganz weißem Haar. Seine Hände zitterten leicht, was als Anfangsstadium einer Parkinsonerkrankung galt. Aber geistig war er hellwach und galt als führender Neurologe, den man auch außerhalb der Klinik zu schätzten wusste.

"Dans Symptomatik hat sich in den letzten Monaten merklich verbessert. Seine motorische Unruhen, angefangen von der Feinmotorik, haben sich wesentlich reduziert, die Gleichgewichtsstörungen sind sozusagen verschwunden und die Koordination ist im normalen Bereich. Die Reflexe sind normal. Mehr habe ich dazu nichts zu sagen."

"Kommen wir doch jetzt zum psychiatrischen Gutachten. Joni, bitte."

Gutermann zog sein verschwitztes Hemd nach unten, strich sich die Haare zurecht, stand auf und sprach: "Keshets psychiatrischer Zustand kann heute als innerhalb der Norm beschrieben werden. Seine anfänglich noch paranoischen Tendenzen haben sich stark abgeschwächt. Er hat sein Selbstwertgefühl verbessert und sein Verantwortungsbewusstsein erhöht. Er steht heute zu seiner Verantwortung vergangener Zwischenfälle und hat den starken Willen, sich nicht von seiner Krankheit dominieren zu lassen und sich als ihr Opfer zu betrachten. Er akzeptiert die Notwendigkeit der klinischen Behandlung und kooperiert dabei bestens".

Koppelevic übernahm nun wieder das Zepter und sagte: "Vielen Dank Joni. Herzlichen Dank an euch alle für euer Gutachten. Ich glaube zusammenfassen zu können, dass Keshets Zustand sich zu unserer Zufriedenheit stabilisiert hat und dass er unter einigen Vorlagen aus der Klinik entlassen werden kann. Hat jemand noch was dazu zu bemerken oder gar Einwände dagegen?" Es meldete sich niemand zu Wort und demnach fuhr er fort: "Ich bitte Gutermann, Dan bei der morgigen Konsultation entsprechend zu informieren und ihm den Entlassungsbericht auszuhändigen. Nochmals vielen Dank an alle. Ihr habt hervorragende Arbeit geleistet! Hiermit schließe ich die Sitzung."

Dan wachte am nächsten Morgen früh auf, weil er in der Nacht zu aufgeregt war einzuschlafen, da er gespannt war, was das Ärzteteam über ihn beschlossen hatte. Joni hatte ihn vor einigen Tagen avisiert, dass seine Entlassung in Aussicht stand. Er hatte sich geduscht, angezogen und war nun guter Laune im Essaal zum Frühstück. Er genoss heute seinen Grießbrei besonders. Seine Kameraden und speziell Yiov grüßte er äußerst fröhlich.

Der bemerkte: "Dan, du bist ja heute besonders guter Laune. Einfach so, oder gibt es einen speziellen Grund?"

"Stell dir vor, ich darf heute die Klinik verlassen. Tamar brachte mir gestern Abend noch die frohe Botschaft."

"Oh, das ist aber toll. Ich freue mich wirklich für dich. Aber du wirst mir hier fehlen. Unsere wissenschaftlichen und philosophischen Gespräche und erst noch unsere Schachpartien waren ein positiver Zeitvertreib."

"Yiov, auch du wirst mir fehlen, da draußen in dieser einsamen Welt. Ich hoffe, du kommst auch bald raus und dann machen wir was zusammen, gell?"

Dan stand auf, winkte allen zum Abschied und begab sich zur Sprechstunde bei Dr. Gutermann. Er musste sich noch etwas gedulden, bis sich die Türe öffnete und eine Patientin das Zimmer verließ.

"Darf ich reinkommen?", fragte Dan.

"Ja, bitte, setz' dich hin. Kommen wir gleich zur Sache. Das Ärzteteam hat gestern beschlossen, dass du die Klinik verlassen darfst. Dein verbesserter Zustand lässt dies zu. Das willst du doch, oder?"

"Ja natürlich, auf das habe ich ja schon eine Weile gewartet. Obwohl je mehr die Zeit vorbei ging, ich mich hier gut akklimatisiert und das Team sehr zu schätzten gelernt habe. Ich möchte mich bei allen bedanken".

"Das werde ich gerne ausrichten. Nun kommen wir noch zu den Details deiner Entlassung. Du musst zu deinem Wohle zweimal pro Woche in die Konsultation kommen, damit wir deinen Gesundheits- und Gemütszustand bewerten können. Dabei wollen wir auch, dass du deine Medizin regelmäßig einnimmst. Das alles, um zu verhindern, dass du rückfällig wirst. Das werden wir so während des ersten halben Jahres aufrecht erhalten, und danach senken wir die Besuchsrate auf einmal die Woche. Stimmt das so für dich?"

"Ja, ich denke, das ist gut so, da verlasse ich mich völlig auf euch".

Kapitel 31

Yiov war einerseits schon etwas betrübt, dass Dan bereits entlassen wurde und er zurück blieb, aber andererseits freute er sich für ihn. Dazu war er etwas erleichtert, dass er nun seine Patenschrift in Ruhe ausarbeiten konnte, ohne dass Dan Rechte in Anspruch nehmen konnte. Sobald er mit der Patenteingabe in der Hand die Klinik verlassen werde, konnte er ihn ja dann einweihen und mit ihm zusammen etwas aufbauen. So einen Spezialisten wie Dan könnte er gut gebrauchen.

Nun freute er sich aufs nächste Treffen mit Tanja an der Uni. Sie hatten wie üblich am Mittwoch am frühen Nachmittag in der Cafeteria der Nationalbibliothek abgemacht. Keren kam Yiov und Micha abholen. Yiov ging auf Keren zu, umarmte sie fest und sagte:

"Keren, so nett, dass du dir die Zeit genommen hast. Und du siehst übrigens heute besonders bezaubernd aus."

"Yiov, das mache ich doch gerne. Und danke fürs Kompliment. Du selber siehst ja auch ganz aufgestellt aus."

Micha klappte den Vordersitz nach vorn und setzte sich auf den Hintersitz. Die Fahrt dauerte um diese Zeit bloß zehn Minuten. Nun gingen sie den bekannten Weg durch die Uni. Das Wetter zeigte sich von seiner strahlenden Seite, und die Vögel zwitscherten von den Bäumen. Auf den Rasenflächen tummelten sich fröhlich gestikulierende Studenten, die ihre freie Zeit zwischen den Vorlesungen benutzten, um sich zu regenerieren. In der Cafeteria fanden sie einen freien Tisch, und Keren ging wie gewohnt die Erfrischungen holen. Inzwischen gesellte sich Tanja zu ihnen, und zwar mit einem etwas ernsten Gesicht. Nach den Begrüßungen nahm Yiov sein Heft hervor und Tanja zückte ihre eigenen Notizen und sprach:

"Siehe Yiov, ich habe deine Daten der verschiedenen Materialkomponenten genommen und einige Berechnungen und Simulationen angestellt. Dabei bin ich auf folgendes Problem gestoßen. Die Halbleiterteilchen, die sich im Medium neben den optischen Fasern befinden, koppeln je nachdem, wie nahe oder wie entfernt sie sich davon befinden, teilweise zuviel oder zu wenig Licht raus. Wenn sie sich quasi im Kontakt mit den Fasern befinden, dann koppeln das meiste Licht raus, und dann bleibt für die unter ihnen liegenden Teilchen kaum mehr Licht übrig. Umgekehrt wenn sie sich zu weit von den Fasern befinden, dann kriegen sie kaum Lichtstrahlen und das System ist sehr ineffizient. So, wie du dir das bisher gedacht hast, wäre das System nicht praktisch. Man müsste also nach effizienteren Anordnungen suchen. Tut mir leid, dass ich dir keine bessere Nachricht bringen konnte."

Yiov wurde kreideweiß. Keren schaute ihn besorgt an. Er fühlte, dass sein Traum geplatzt war. Er saß nun schlapp da und starrte schweigend in die Ferne. Tanja sah es ihm an und sagte:

"Aber die Hoffnung darfst du so schnell nicht aufgeben. Wenn wir etwas weiter nachforschen und neue Anordnungen anschauen, wer weiß, vielleicht können die Probleme dann gelöst werden. Lass uns daran arbeiten und schauen mal."

Keren schloss sich an: "Also Yiovi, lass dich bitte nicht so schnell entmutigen."

Micha sah natürlich auch wie es um seinen Zögling stand und gab allen ein Zeichen, dass es besser sei, aufzubrechen und in die Klinik zurückzukehren. Sie tranken aus und verabschiedeten sich.

Yiov hatte kaum ein Auge zugedrückt, als er am nächsten Morgen in die Psychotherapie bei Koppelevic eintrat.

"Guten Tag Yiov. Wie geht es uns heute?" Als er Yiovs Passivität feststellte, fügte er an: "Micha hat mir erzählt, was gestern vorgefallen ist. Erzähl' es mir doch mal aus deiner Warte."

"Gestern erlebte ich eine schwere Enttäuschung. Es hat mit meiner Patenteinreichung zu tun. Tanja meinte, dass die Idee so nicht funktionieren kann. Es war ein schrecklicher Rückschlag. Ich fühlte, wie mir alle Luft entwich", sagte er bebend am ganzen Körper.

Der Arzt schaute ihn ruhig und mit einem lieben Lächeln an und sprach:

"Was genau enttäuschte dich denn?" Er versuchte, dass Yiov seine Gefühle besser verstehen konnte.

Yiov hatte Tränen in den Augen. Er schaute zu seinen Knien hinunter. Und sagte dann schluchzend: "Siehst du, ich fühle mich wie ein Versager. Auch schämte ich mich Tanja und Keren gegenüber".

"Sehr gut, wie du deine Gefühle beschrieben hast. Doch schauen wir mal, wie sie der Wirklichkeit gegenüberstehen. Das wird dir als Naturwissenschaftler sicher gut gelingen. Also, frag dich bitte, als erste Frage, wie lange du bereits an deiner Idee arbeitest und als zweite, wie oft du schon einen Patententwurf vorbereitet hast."

Yiov hob seinen Kopf und schlug seine Augen auf. Der Arzt glaubte ein kaum bemerkbares Lächeln über Yiovs Mundwinkel zu entdecken. Der Patient sprach nun leise:

"Ich verstehe deine Fragen und tatsächlich erscheint meine Situation besser, als dass ich sie fühle. Aber eben, ich fühle mich trotzdem in einer Sackgasse."

Koppelevic antwortete rasch: "Das ist doch schon mal ein guter Anfang. Ich meine, dass du sehen kannst, dass die Situation in Wirklichkeit besser ist, als dein Gefühl es dir einredet. Und was denkst du, ist eine Sackgasse das Ende der Welt?"

Als der Psychiater sah, dass Yiov dies mit leichtem Kopfschütteln verneinte, fuhr er fort:

"Ich denke, dass wir dir für eine begrenzte Zeit wieder Lithium und dazu noch ein Antikonvulsivum verschreiben werden. Das sollte dir helfen, deine Gemütsschwankungen zu stabilisieren. OK? Wir treffen uns dann nächste Woche wieder. Inzwischen machst du deine Psychotherapie weiter. Bis dann."

"Vielen Dank Doktor, bis bald."

Dritter Teil - Rückschlag und Neuanfang

Kapitel 32

Das Treffen zwischen Yiov und Tanja war am Donnerstag gegen Mittag vereinbart. Diesmal trafen sie sich in der Wohnung von Keren. Yiov hatte beim Tischdecken mitgeholfen. Seit er aus der Klinik entlassen war, hatte er sich bei ihr gut eingelebt. Er war zwar noch arbeitslos, besorgte dafür den Haushalt mit Wohnungsreinigung und Einkäufen, und Keren war ihm dafür dankbar. Sie hatte inzwischen ihr Doktorat beendet und eine Stelle als wissenschaftliche Mitarbeiterin angenommen, was sie voll in Anspruch nahm. Yiov selber wollte seine Pläne für ein Unternehmen wieder aufnehmen und arbeitete von zuhause aus an seinem Patent. Aus der Sackgasse, damals als er noch hospitalisiert war, hatte er nämlich wieder mit einer neuartigen Idee in Zusammenarbeit mit Tanja entkommen können.

Keren und Tanja umarmten sich, als sie eintrat. Tanja wurde zu Tisch gebeten. Nun stieß auch Yiov mit nassen Haaren zu ihnen, und er und Tanja gaben sich ein Küsschen.

"Hallo Yiov, du siehst gut aus. Wie geht es dir?"

"Prima, Tanja. Keren sorgt sich bestens um mich, und ich geb mir auch Mühe."

Keren intervenierte: "Nein, eigentlich ist's anders herum. Yiov kümmert sich hier um alles. Tanja, magst du Bourekas? Ich habe sie selbst gebackenen, das hier ist mit weißem Hartkäse gefüllt und das hier mit Pilzen."

"Oh, ja die mag ich besonders gerne. Aber die Mühe hättest du dir doch nicht nehmen müssen! Vielen Dank!"

"Du, das ist gar nicht soviel Arbeit. Ich nehme fertigen Blätterteig und fülle ihn mit einer Käsemischung mit Kräutern und die Pilze mit Zwiebeln. Geht ganz rasch und einfach."

Tanja war ganz begeistert und guter Laune und sagte: "Yiov, ich hab' prima Nachrichten. Ich zeig' dir dann nach dem Essen meine neusten Simulationen. Die sind vielversprechend."

Yiov antwortete: "Ich kann's kaum erwarten!". Er begann hastig zu essen.

Keren schaute ihm besorgt zu und sagte lächelnd: "Yiovi, bitte iss nicht so schnell, das ist ungesund!"

Endlich setzten sie sich ans Pult und Tanja holte die Computer Print-outs hervor. "Siehst du Yiov. Ich habe im neuartigen von dir vorgeschlagenen Schema und mit den von dir angegebenen Brechungsindices den Verlauf der Lichtstrahlen in alle möglichen Richtungen berechnet. Dabei kam heraus, dass durch Lichtevaneszenz aus den Fasern genügend viel Strahlung in den Elektrolyt hinausdringt. Dazu kommt ganz entscheidend, dass man mit optischen Gittern diese Lichtentkopplung aus den Fasern kontrolliert verstärken kann. Somit ist garantiert, dass genügend Licht auch in der Tiefe der Anordnung vorhanden bleibt".

"Donnerwetter, das sind ja hervorragende Nachrichten! Vielen Dank Tanja, das hast du gut gemacht! Jetzt steht also unserer Pateneingabe nichts mehr im Wege. Ich werde sie, so rasch ich kann, fertig schreiben. Kannst du mir dann bitte noch bei der Durchsicht des optischen Teils und der Berechnungen helfen?"

"Ja, das mach ich gerne. Aber bitte, du musst mich nicht ins Patent reinnehmen. Das sind ja deine Ideen."

"Doch, das muss ich. Du hast ja entscheidend dazu beigetragen. Und übrigens habe ich mal irgendwo nachgelesen, dass per Gesetz in den USA, jeder, der was beigetragen hat, ins Patent reinmuss." Tanja nickte stumm. Yiov fuhr fort: "Sobald wir es zusammen haben, werde ich mit Rivka einen Termin ausmachen, um sie zu bitten, es übers Office des Techtransfers zu machen. Das wird uns eine Menge Auslagen sparen. Sie hat mir ihre Hilfe damals ja zugesagt."

Kapitel 33

Yiov war nun voller Optimismus. Er wollte keine Zeit verlieren und rief Rivka bereits kurz nach Vollendung des Manuskripts in ihrem Büro an. Sie vereinbarten einen Termin schon für den übernächsten Vormittag. Er zog sich ein frisches Hemd an, und er und Keren fuhren zusammen in ihrem VW an die Uni. Es regnete heftig, und so waren sie froh, zu Fuß teilweise unter den bedeckten Durchgängen der Hauptpromenade gehen zu können. Keren verabschiedete sich beim Mathematikgebäude, und er ging raschen Schrittes zum alt bekannten Chemiegebäude, das in ihm gemischte Gefühle hervorrief. Die widerlichen Gerüche der Chemikalien und der Widerhall der Schritte auf dem Steinboden verstärkten sein Unbehagen. Doch er beruhigte sich mit der guten Zuversicht des Gesprächs mit seiner ehemaligen Doktormutter. Als er zu Rivka eintrat, saß Tanja bereits guter Miene auf dem Sessel am Besprechungstisch. Rivka ging freudig auf Yiov zu und begrüßte ihn:

"Yiov, so schön dich wiederzusehen. Vor allem, dass du dich wieder mit Wissenschaft beschäftigst. Komm setzen wir uns. Mögt ihr einen Kaffee?"

Tanja sagte zu, aber Yiov hatte noch zu Hause einen getrunken. Rivka hatte den Wasserkocher betätigt und goss nun das heiße Nass in ein Glas, an deren Oberfläche sich der dunkelbraune Schaum und das raumfüllende Aroma entwickelte. Sie gab nun Yiov ein Zeichen, dass er mit seinem Anliegen anfangen solle.

"Vielen Dank Rivka, dass du uns so rasch empfangen konntest. Tanja kennst du ja bereits, nehme ich an."

"Ist doch selbstverständlich, dass ich mich meinem Ehemaligen annehme. Also schieß los, was hast du für ein Vorhaben?"

"Ich habe in der Klinik die Zeit genutzt, um ein neuartiges Verfahren für Photolyse zu entwickeln. Dabei hat mir Tanja entscheidend mitgeholfen, und darum fand ich es wichtig, dass sie beim Treffen dabei ist. Es handelt sich um eine neuartige Anordnung mit optischen Fasern um den Wirkungsgrad zu erhöhen. Wir bitten dich, falls du es gut findest, uns durch die Uni zu helfen, das Patent einzugeben, da wir momentan noch keine Mittel dazu haben. Ich habe ja damals mein Grundwissen bei dir erworben, und deshalb möchte ich, dass du als Mit-Erfinderin fungierst."

Rivka zog ihre Augenbrauen hoch und Yiov fuhr fort:

"Hier bitte ist unser Manuskript", welches er Rivka ohne Bedenken aushändigte. Er blätterte direkt an die entscheidende Stelle und sagte: "Da sieht du die skizzierte Anordnung, und die Berechnungen dazu haben wir da angefügt." Rivka studierte es, wobei sie anfing den Kopf zu schütteln und rot zu werden.

"Rivka, was ist? Findest du unsere Idee nicht tragfähig?"

"Nein, nein, das ist es nicht. Ich weiß nicht, wie ich dir diese Hiobsbotschaft überreichen soll, aber vor einem Monat hat Dan Keshet diese Idee in fast gleicher Form bei uns eingegeben. Wir hatten ihm damals ja unsere Hilfe zugesagt, um ihm bei seiner Integration zurück in die Gesellschaft zu helfen. Aber wir hatten keinen Schimmer davon, dass du ebenfalls an einem Patent zum gleichen Thema arbeitest. Wieso hast du mir nie was davon gesagt?"

Yiovs Gesichtsfarbe hatte einen fahlen Schimmer angenommen. Er begann rasch zu atmen. Seine Hände zitterten. Auch Tanja hatte ihren Mund aufgerissen.

Yiov fauchte: "Was heißt denn da ebenfalls? Wie konnte ich ihm schon wieder auf den Leim gehen. Ich habe ihm die Idee in der Klinik in groben Zügen beschrieben. Er hat sie mir also gestohlen, dieser Hund!" Yiov sah beschämt auf den Boden. Nicht wegen seines Wutausbruches, sondern weil er sich schämte, wieder ein Opfer Dans Manipulationen geworden zu sein und auch vor Tanja, die ihm den Arm um die Schulter legte.

Rivka griff sich an die Stirn und rief: "Das ist ja kaum zu glauben!" Und dann fuhr sie mit ruhiger Stimme weiter: "Hast du dazu Beweise? Zeugen?"

"Ja, ich habe mir alles in ein Notizheft aufgesetzt. Und dann traf ich mich mit Tanja dank Kerens Vermittlung bereits vor einigen Monaten, als Dan noch in der Klinik war, und wir haben alles diskutiert."

Rivka schaute zu Tanja hinüber und diese sprach sofort energisch: "Stimmt genau. Wir arbeiten bereits ein knappes halbes Jahr an diesem Projekt."

"Weiß noch jemand in der Klinik von deiner Arbeit?", wollte Rivka auf Nummer sicher gehen.

Yiov überlegte und kratzte sich am Kopf, als Tanja ausrief: "Yiov, der Krankenpfleger Micha war doch stets bei deinen Besuchen an der Uni dabei. Der könnte das doch sicher bezeugen!"

"Dass ich an so einem Projekt arbeitete, weiß auch mein Psychiater Dr. Koppelevic, aber die genauen Details habe ich ihm nie beschrieben."

Rivka überlegte eine Weile und sprach dann: "Yiov, ich frage nochmals, wieso hast du mir eigentlich nie davon berichtet? Da hätten wir Dans Eingabe dagegen untersuchen können". Sie wiegte ihren Kopf, wartete Yiovs Antwort nicht ab und fuhr weiter: "An sowas hatten wir nun wirklich nicht gedacht. Wir waren zuversichtlich, dass der Aufenthalt in der Klinik Dan auskurierte. Das psychiatrische Gutachten hat dies ja attestiert". Rivka stand auf und ging ans Fenster. Dann setzte sie sich wieder und sagte: "Aber jetzt müssen wir zuerst mal schauen, wie's um Dans Anmeldung steht. Falls sie noch nicht offiziell beim Patentamt eingereicht wäre, so könnten wir sie wahrscheinlich noch aufhalten. Ich werde gleich Zwi anrufen, um den Stand zu erhalten."

Sie nahm den Hörer in die Hand und wählte eine vierstellige interne Nummer. "Hallo Tova, da spricht Rivka, ist Zwi anwesend?"

"Schalom Professor Bar Eithan, ja ich verbinde, ich hoffe, er nimmt ab, da er gerade in einer Besprechung ist". Es dauerte eine Weile bis Zwi abnahm:

"Hallo, Rivka, bist du noch am Apparat?....Tut mir leid, aber es saß gerade jemand bei mir. Worum geht's?"

"Danke Zwi. Es geht um Dans Patentanmeldung. Wie steht's mit der?"

"Gut. Wir haben sie bereits vor einigen Tagen eingereicht und gerade heute die Anmeldenummer erhalten. Wieso fragst du?"

"Du wirst es mir nicht glauben, aber es besteht der Verdacht, dass Dan wieder ein Plagiat begangen hat!" Rivka vernahm ein Räuspern am andern Ende der Leitung.

"Das kann doch nicht dein Ernst sein!"

"Doch, doch! Yiov sitzt gerade bei mir mit einer Kollegin und die unterbreiteten mir ein Manuskript mit der gleichen Grundidee. Moment, ich schalte gerade den Lautsprecher ein, damit sie dich hören können."

"Schalom Yiov, wie geht es dir?"

"Bis jetzt ging es mir ganz gut. Neben mir sitzt Tanja, die Mit-Erfinderin."

"Hallo Zwi".

"Hallo Tanja, sehr angenehm."

Rivka sprach nun wieder: "Sag mal Zwi, kann man diese Eingabe rückgängig machen? Wenigstens bis die Sache abgeklärt ist?"

"Tut mir leid, aber so einfach ist das jetzt nicht mehr. Da Dan der Erfinder und Miteigentümer ist, müsste da zuerst seine Einwilligung erfolgen. Und das wird er sicher nicht ohne weiteres tun. Und falls er sich dagegen wehrt, was ich als wahrscheinlich betrachte, dann müsste man gerichtlich gegen ihn vorgehen. Bedaure Rivka, für die schlechten Nachrichten."

"Vielen Dank, Zwi. Wir werden uns die Sache überlegen müssen, und dann melden wir uns wieder." Rivka hatte aufgehängt und betrachtete die beiden Partner mit wachsamen Augen und sprach: "Ich kann mir sehr gut vorstellen, was ihr fühlt. Mir ginge es genauso. Aber ich habe da so einige Ideen, wie wir das Problem mit Vernunft angehen können".

"Was heißt da mit Vernunft? Wieso sagst du das? Habe ich etwa unvernünftig reagiert?"

"Nein, nein, Yiov, so meinte ich es doch nicht. Entschuldige bitte. Ich wollte damit nur sagen, dass wenn wir alle Tatsachen betrachten werden, uns möglicherweise eine gute Lösung und Vorgehensweise einfällt." Yiov schien sich etwas abgeregt zu haben, und so fuhr sie weiter: "Also, erstens haben wir in diesem Fall den Vorteil, dass wir Dans Eingabe genau kennen und studieren können. Normalerweise wäre das ja nicht möglich. Zweitens, müssen wir euren Vorschlag genau mit dem von Dan vergleichen, um dann eventuell eine unabhängige und diskriminierte Version einzureichen. Dabei wird uns Zwi helfen."

"Aber, wie ich vorher von dir verstanden habe, ist die Faseroptik ebenfalls Bestandteil von Dans Eingabe. Würde das nicht heißen, das wir auf einen zentralen, das heißt 'Den' Zentralen, Patentanspruch verzichten müssten?" Yiov schaute Rivka forsch an.

"Ja, da hast du einerseits schon recht, aber andererseits müsst ihr abwägen, ob es noch andere dominante Aspekte in eurer Erfindung gibt, die bei Dan abwesend sind. Gibt es solche Aspekte, die du Dan nicht erzählt hast, aber einen wichtigen technologischen Durchbruch bringen?"

Yiov blickte zu Tanja rüber und gab ihr ein Handzeichen, dass sie antworten solle.

"Zwar haben wir Dans Anmeldung noch nicht gesehen, aber ich denke, dass unsere Auswahl des Materials der Faseroptik höchst wahrscheinlich einzigartig ist. Jedenfalls hat unsere Literaturrecherche nichts dergleichen hervorgebracht. Bis jetzt".

"Oh, das ist aber prima. Dann könntet ihr eventuell einen kombinierten Anspruch der Faseroptik zusammen mit dem Material eingeben. Der würde höchst wahrscheinlich von den Patentprüfern akzeptiert. Aber damit ist das Problem einer möglichen gerichtlichen finanziellen Klage von Seiten Dans gegen die Benutzung von Faseroptik nicht ganz aus der Welt geschafft. Aber ich schlage vor, wir prüfen zuerst die Sache auf Herz und Nieren".

Kapitel 34

Dan hatte im Industriegebiet von Talpiot, einem Außenquartier von Jerusalem, ein Büro für seine junge Ein-Mann-Firma gemietet. Er hatte das günstige Angebot in einer Annonce gefunden, war eilends mit dem Bus hingefahren. Dort fand er in einem zweistöckigen schuppenartigen Reihengebäude in mitten von Autozubehör, Installationsersatzteilen und Werkstätten den schmalen Eingang der angegebenen Adresse vor. Vom Straßenende drang der ohrenbetäubende Lärm einer

Schreinerei herüber. Das Mietobjekt im oberen Stockwerk war in erbärmlichen Zustand, mit Löchern in der
Wand und schmutzigem Fußboden. Obwohl es ihm davor graute, konnte er sich nichts besseres von seiner
Rente leisten, und daher sagte er zu. Er hatte einen
freundlichen Büronachbarn getroffen, mit ihm ein
nettes Gespräch geführt, und dieser lieh ihm danach
sein Putzzeug aus, damit er den Raum einigermaßen
auf Obermann bringen konnte. Er hatte schwitzend
abgestaubt, gewischt, geschabt, nass aufgezogen und
schließlich einige Plakate aufgehängt. Das alte Me-
tallpult mit dem Stuhl hatte ihm der Vermieter überlassen.

Yiov hatte lange nachforschen müssen, bis er das gut
getarnte Versteck von Keshet hatte ausfindig machen
können. Keshet hatte während des Klinikaufenthaltes
seine Hypothekarzinsen nicht mehr bezahlt, und daher
hatte die Bank seine Wohnung versteigert. Die einzige
Adresse, die er in der Klinik hinterlassen hatte, war ein
Postfach. Yiov hatte ihn mehrmals angeschrieben, aber
keine Antwort erhalten. Endlich konnte er vom Techtransfer Office einen Tipp seiner ungefähren Geschäftsadresse in Erfahrung bringen. Yiov war in die Gegend
gefahren, dort tagelang herumgelaufen, aber vergebens.
Nirgendwo war Dans Firma weder bekannt noch
angeschrieben. Doch dann eines Tages bei mildem
Frühlingswetter kam ein sympathischer, gut angezo-

gener Mann aus einem der Hauseingänge, und Yiov fragte ihn:

"Schalom, kennst du zufälligerweise Dr. Dan Keshet? Man hat mir gesagt, dass er sein Büro hier in der Nähe habe".

Der Mann musterte ihn zuerst und sagte dann: "Oh ja, den kenne ich gut. Er hat sein Büro genau neben mir, hier im zweiten Stock".

Yiov bedankte sich und stieg das düstere Treppenhaus hoch. Im Dunkeln näherte er sich der Eingangstür, fand einen Lichtschalter und klopfte an der namenlosen Tür an. Es rührte sich nichts. Er klopfte nochmals, diesmal heftiger, aber immer noch machte niemand auf. Er legte sein Ohr an die Tür und glaubte ein leichtes Papierrascheln zu vernehmen, aber er war sich nicht sicher. Yiov schritt die Treppe wieder hinab und lehnte sich auf der gegenüberliegenden Seite an einen Kleintransporter und wartete.

"Irgendwann wird er schon rauskommen, dieser Wicht", dachte sich Yiov. Ganz in der Nähe sichtete er einen kleinen Imbisskiosk, und der Hunger gab ihm einen Stoß, sich zu verpflegen. Er bestellte eine halbe Portion Falafel. Das halbierte Pitabrot wurde mit den Kügelchen und allerlei Salaten gefüllt, und er goss aus der Plastikflasche Sesame-Sauce dazu. Er hatte während der ganzen Zeit den Eingang zu Keshets Büro nicht aus den Augen gelassen. "Verflucht!", knurrte

Yiov, als ihm Sauce auf seine Hose tropfte. Er versuchte den Fleck mit einer Papierserviette abzuwischen. Dann nach zwei Stunden gab er auf, fuhr mit dem Bus nachhause durchs berüchtigte Katamonim Quartier, wo die ehemaligen Neueinwanderer hauptsächlich aus Nordafrika in ärmlichen Wohnblocks hausten. Er sah wie junge Burschen und Männer auf den eisernen Straßenabgrenzungen saßen und zigarettenrauchend gestikulierten. Yiov dachte sich: "Kein Wunder kommen viele der Delinquenten aus diesem Arbeitslosen-Viertel." Alte Bilder aus dem Internat und Dankbarkeit zu seinem Jugendleiter Mucki stiegen in ihm auf. Dann hatte er umsteigen müssen, war nach einer viertelstündlichen Weiterfahrt und einem kurzen Fußmarsch in Kerens Wohnung angelangt.

Keren stand bereits an der Tür und sagte: "Ah Yiovi, gut bist du hier. Ich machte mir bereits Sorgen. Wo warst du?"

"Ich wollte endlich diesen Dan auffinden. Ich muss unbedingt mit ihm reden. Das ist schon eine Sauerei, was er mit dem Patent angestellt hat. Ich könnte ihn umbringen!"

"Aber Yiovi, das tust du sicher nicht. Reg dich doch erstmal ab. Hast du übrigens heute deine Medizin genommen?"

"Nein, werde ich gerade tun. Danke, dass du mich daran erinnerst. Morgen habe ich die wöchentliche

Konsultation mit Koppelevic in der Klinik. Kommst du mit?"

"Klar, ich werde dich hinfahren. Und falls du das möchtest, kann ich auch wiedermal dazu sitzen. Und sag mal, hast du den Keshet ausfindig machen können?"

"Ja und nein. Ich habe mit größter Wahrscheinlichkeit seine Geschäftsadresse entdeckt. Aber er hat mir nicht aufgemacht, obwohl es mir schien, dass da jemand war. Ich werde ihm demnächst wieder dort auflauern und ihn mir vorknöpfen."

Yiov konnte sich dann dank Kerens liebevoller und geduldiger Hingabe wieder abregen. Er musste ihr versprechen, dass er solche Sprüche von Mord und Totschlag während der bevorstehenden Konsultation ja nicht äußern werde, ansonsten er mit einer erneuten Hospitalisierung, diesmal mit Zwang, zu rechnen habe. Sie gingen heute frühzeitig zu Bett, denn sie wollten am nächsten Morgen für den Besuch in der Klinik ausgeruht sein.

Das Treffen mit Koppelevic fand im getrennten Teil für externe Konsultationen statt. Er freute sich, seinen Patienten in einigermaßen akzeptablem Zustand vorzufinden. Nun wollte er auch die Meinung dessen Partnerin hören: "Vielen Dank Keren, dass du heute dabei bist. Wie siehst du Yiovs Wohlbefinden aus deiner Sicht?"

"Ja Doktor, eigentlich geht es ihm gut. Er arbeitet an seinem Patent. Aber da liegt nun der Hund begraben. Keshet scheint etwas ähnliches zu bearbeiten, das Yiov als Plagiat hält. Das hat ihm in den letzten Tagen sehr zugesetzt."

Koppelevic betrachtete Yiovs feuchte Augen, was nun doch auf einen leicht depressiven Zustand hinzudeuten schien. Yiov sprach nun selber:

"Das ist für mich eine herbe Enttäuschung, nachdem ich geglaubt hatte, dass Dan und ich uns hier in der Klinik angefreundet hatten und ich ihm diesmal Glauben schenken könne. Und speziell da er mir vorschlug, mal was gemeinsames aufzubauen."

Koppelevic runzelte seine Stirn und sagte dann mit einem sanften Lächeln: "Siehst du Yiov, wir haben das ja bereits mehrere Male zusammen besprochen, und du hast es damals akzeptiert. Wir haben im Leben öfters schwere Enttäuschungen, die nicht leicht zu verkraften sind. Was machst du, dass du dich diesmal von dieser erholen kannst? Und noch eine Frage: siehst du auch Vorteile in dieser Situation? Also, anders gesagt, wie kannst du aus dem Zitronensaft Limonade machen?"

Yiov gab sich Mühe nachzudenken. Nach etlichen Minuten des Schweigens, sprach er: "Ja, es stimmt. Neben der unangenehmen persönlichen Situation gibt es doch einen eher glücklichen Zustand. Ich habe damals Dan nämlich nicht alles im Detail angegeben, so dass in seinem Plagiat wesentliche kritische technologische Teile fehlen. Aber der basierende zentrale Anspruch wurde von ihm gedeckt." Yiov hatte sein Gesicht verzogen und seine Hände zitterten leicht.

"Heißt das dann eigentlich nicht, dass du dein Patent trotzdem eingeben kannst? Und zweitens, wenn du dir vorstellst, du hättest mit Dan eine Partnerschaft gegründet, viel Geld und Anstrengungen investiert und er dich erst dann hintergangen hätte, wäre dies eine viel schlimmere Situation geworden?" Koppelevic dachte für sich im Stillen, sich beruhigend, dass obwohl ja Dan auch sein Patient gewesen war, seine Aussagen nicht unethisch waren.

Yiov nickte stumm und schaute mit glasigen Augen zum Fenster hinaus. Er war bereits voll in seine eigene Gedankenwelt abgesunken.

Kapitel 35

Dan hüpfte vergnügt im Büro herum und hatte ein nicht aufhörendes Grinsen auf dem Gesicht, wobei er abwechslungsweise die Fäuste nach oben reckte. Eben hatte sich Mr. Humphrey, der lokale Geschäftsführer einer Risikokapital Firma, der Venture Capital of America Inc. verabschiedet. Er hatte Dans Ideen und die Patentschrift für gut befunden und gab sein großes Interesse an einer Investition in Dans Unternehmen bekannt. Den Vertrag werde er ihm nach einigen Recherchen, um die Risiken zu minimieren, dann in etwa einem Monat zukommen lassen. Davor werde er noch in die USA an ihren Hauptsitz geladen werden.

"Wie werde ich die Einwände seitens der Uni und diejenigen Yiovs beseitigen können?", fragte er sich nun seines Enthusiasmus etwas gedämpft. Er hatte Yiovs Briefe aus seinem Postfach erhalten und sich dabei gedacht, dass Yiovs weiterer Klinikaufenthalt ihn in seinem Unternehmen verzögere. Deshalb beschloss er auf eigene Faust zu handeln in der Gewissheit, dass Yiov ihm kein Hindernis sein werde. Aber das nun mit der Uni? Das war jetzt schon heikler. Sollte er nicht besser einen unabhängigen Patentanwalt nehmen, um deren Einwände zu behandeln? Ja, das sollte er so bald als möglich tun. Er hatte ja noch etwas Erspartes, womit er diese Auslagen finanzieren konnte.

Am Abend, als er bereits bei Dunkelheit nach Hause fuhr, befiel ihn ein komisches Gefühl, nämlich als wie ihn jemand verfolgte. "Dummes Zeug", sagte er zu sich, "lass dich doch nicht wieder vom Verfolgungswahn unterkriegen."

Aber er wusste nicht, das sein Gefühl richtig war. Denn Yiov hatte ihn tatsächlich beschattet und ihn aus dem Eingang rauskommen sehen. Nun war Yiov sicher, dass er Dans Versteck herausgefunden hatte. Jetzt konnte er seinen Plan verwirklichen. Er hatte als Chemiker ja Kenntnisse von tödlichen Giften, und noch besser, er hatte auch Zugriff zu solchen Giftstoffen. Er wusste genau, in welchem Chemikalienschrank an der Uni er zugreifen konnte. Die am besten passende Verbindung schien ihm Zyankali zu sein, das mit der berüchtigten Blausäure verwandt war. Als Chemiker verstand er auch genau, wie es wirkte. Er stellte sich vor, wie sich die Zyanid-Anionen an das Eisenkation im Hämoglobin ranmachten und dieses davon rauslösten, eins ums andere. Der Erstickungstod würde in wenigen Minuten eintreten und Dan endgültig seines Handwerks entmachten. "Eine genügend grosse Probe vom Zyankali werde ich mir mit Leichtigkeit verschaffen!", murmelte er vor sich hin, und seine Zähne kamen dabei zum Vorschein.

Aber wie sollte er Dan dazu bringen das Gift einzunehmen? Dazu müsste er ja Zugang zu ihm haben. Also musste er versuchen mit ihm ein Treffen einzuleiten. "Am besten werde ich ihn vor dem Eingang stellen, ihn um ein Gespräch bitten und ihm ins Gewissen reden. Das kann er mir doch nicht abschlagen, oder?", dachte er sich.

Yiov hatte mit Rivka und Tanja einen erneuten Termin an der Uni vereinbart, um die Patentlage zu besprechen, nachdem sie Keshets Anmeldung zu lesen bekommen hatten. Tanja wartete auf Yiov am Eingang zum Gebäude und begrüßte ihn fröhlich mit Küsschen.

"Und was meinst du Yiov? Sieht doch gar nicht so schlecht aus, was?"

"Denkst du das wirklich? Also ich bin da nicht so optimistisch. Aber komm, wir schauen mal, was Rivka dazu zu sagen hat."

Also stiegen sie die Treppe bis in den zweiten Stock empor, wo er im Vorbeigehen einige bekannte Gesichter flüchtig grüßte, flüchtig genug, um in kein Gespräch verwickelt zu werden, und dann traten sie in Rivkas Office ein. Rivka war gerade am Telefon und sprach auf Englisch, woraus Yiov schloss, dass seine Doktormutter ihre wissenschaftlichen Beziehungen zum Ausland weiterhin pflegte.

"Thanks, George, yes, I'll be delighted to write the article with you. Bye then", sagte sie und hängte auf. Dann wandte sie sich an ihre Gäste und fragte: "Meine Lieben, was habt ihr rausgefunden?"

Yiov überließ Tanja als Erste das Wort: "Unsere Befürchtungen haben sich bestätigt. Die Fiberoptik ist ein elementarer Bestandteil von Keshets Anmeldung."

Rivka nickte und sagte: "Aber?"

"Er hat als Material nur die bekannten Glasfasern angegeben, während wir doch Fasern aus Halbleitern beanspruchen, was eine zweifache Erneuerung bedeutet. Ich denke, das ermöglicht uns doch eine Anmeldung unsererseits, oder?"

Rivka sagte: "Ja, das finde ich sehr gut. Alle Achtung!"
Sie schaute erwartungsvoll auf Yiov, der sagte:

"Ja, ich finde ja auch, dass wir da einen entscheidenden Unterschied zu Keshets Patent haben. Aber ich erwarte doch noch gewisse Schwierigkeiten durch die Prüfer und von Dans zu erwartendem Widerspruch, mit der Begründung, dass man erwartungsgemäß das Fasermaterial ändern kann und wir deshalb keine neue Erfindung beanspruchen können."

"Ich verstehe deine Befürchtungen und finde es ganz gut, dass du des Teufels Advokat spielst. Aber ich denke, wir sollten die professionelle Meinung von Zwi und seinen Patentanwälten einholen. Ich werde eine Besprechung mit ihm beantragen."

Es war nun schon später Nachmittag und sie verabschiedeten sich voneinander. Yiov sagte beim Herausgehen zu Tanja: "Mach's gut. Wir sehen uns ja bald wieder. Ich gehe noch mal rasch in die kleine Bibliothek oben im dritten Stock, um mir noch einige Daten rauszuholen. Also bis bald."

Yiov stieg nach oben und setzte sich auf einen Stuhl. Die hohen Bücherwände ringsherum, vollgeladen mit schwarzgebundenen Bänden, drohten auf ihn herunter zu purzeln. Er wollte dort etwa eine Stunde abwarten, bis das Gebäude sich von den meisten Mitarbeitern geleert hatte und er sein Vorhaben in Ruhe ausführen konnte. Es war bereits finster, als er eine Etage hinunter ging. Tatsächlich schienen alle gegangen zu sein, wie er an der Dunkelheit im Korridor abschätzte. Er kannte sich immer noch gut aus und fand den Lichtschalter. Dann öffnete er die Tür zum Labor, das auch im Dunkeln lag, aber hier wollte er kein Licht anmachen, schaltete seine Taschenlampe an und trat an den Chemikalienschrank. Er war wie üblich verschlossen. Damals hatte er ihn verwaltet, und so wusste er, wo der Schlüssel versteckt war. Er fand ihn wie immer in der gegenüberliegenden Schublade, nahm ihn heraus und öffnete die Schranktür. Er bückte sich, um an die untern Tablare zu gelangen, wo die Potassium Verbindungen standen. Schnell fand er das Fläschchen mit dem entsprechenden Zyanid und nahm es heraus. Er hatte einen alten Filmbehälter mitgebracht. In diesen füllte er nun mittels eines Spatulas das weiße Granulat in genügender Menge und schloss es mit Druck bis er den Klick vernahm. Dann stellte er das Fläschchen wieder an seinen Ort zurück und verschwand lautlos aus dem Labor. Er schritt die Treppen hinunter bis zum Eingang, wo mehrere Studenten standen, die er nicht kannte und die ihn offenbar nicht wahrnahmen. Wieder im Freien schritt er Richtung Uniausgang und überlegte sich, wie er den Behälter zuhause vor Keren verstecken und in Sicherheit verwahren konnte. Das musste ein geheimer Ort sein, denn wenn Keren das Ding entdeckte, dann wer weiß, wohin sich ihre Situation entwickeln könnte. Würde sie ihn womöglich rausschmeißen?

"Yiov, gut bist du schon da. Ich habe gerade das Abendbrot zubereitet. Heute gibt's Piccata Milanese mit Polenta. Das magst du doch? Ich habe das Rezept in einem italienischen Kochbuch gefunden."

"Das ist ja unglaublich. Das mag ich so gerne. Ich komm gleich, ich gehe mich nur kurz auffrischen, nach dem langen Tag." Er ging ins Schlafzimmer, trat an den Schrank, nahm ein Paar alte Socken und stopfte den Filmbehälter hinein. Danach nahm er ein Paar alte Schuhe heraus und füllte diese mit den Socken. Dann legte er die Schuhe unter die anderen zuunterst in die Schublade zurück. "Die wird Keren sicher nicht anrühren", war seine Überlegung.

"Und wie war dein Tag, wohl etwas schwierig?"

"Ja, allerdings. Wir besprachen die Sachlage mit Rivka und Tanja. Rivka sagte, ich spiele des Teufels Advokat. Doch wir werden die Patentanwälte der Uni zu Rate ziehen. Wenn das nur was bringt", sagte er und blickte mit starrem Blick auf seine Schuhe.

"Yiovi bitte, lass uns nun doch das Essen genießen und hören wir auf mit dem Griesgram. Das Leben hat doch noch anderes zu bieten. Und wieso erkundigst du dich eigentlich nicht, wie's mir geht?"

"Ja, du hast recht, entschuldige bitte. Das wollte ich dich gerade fragen. Wie geht's dir, und wie war dein Tag?"

214

"Danke für die Nachfrage", sagte sie mit ironischem Ton in ihrer Stimme, "stell dir vor, mein Artikel über neue Methoden in Matroid Transformationen ist angenommen worden".

"Gratulation! Du bist so begabt! Sagte ja schon immer, dass du meine Determinante bist. Und guten Appetit noch!"

Kapitel 36

Dan saß an seinem Pult und öffnete den Umschlag, den er gerade aus dem Postfach bei der naheliegenden Filiale entnommen hatte. Es war ein Brief von der Uni und zwar mit dem Briefkopf vom Techtransfer Office. Er las und sein Gesicht nahm zunehmend verzerrte Züge an.

Jerusalem, 15. 1. 1989

Geehrter Dr. Keshet,

Betrifft: Patent Anmeldung IL90747/3

Wir bedanken uns für Ihre Patenteingabe, die, wie wir Ihnen ja bereits mitgeteilt haben, letztes Jahr vom Patentamt registriert worden ist.

Leider sind bei uns stichhaltige Proteste gegen Ihre Patenanmeldung eingereicht worden, die darauf hinweisen, dass möglicherweise große Teile davon nicht Ihr rechtliches Eigentum sind. Deshalb fühlen wir uns gezwungen, unseren Anteil aus dem Patent zurückzuziehen und eine weitere Begleitung und Unterstützung dazu per heutigen Datums einzustellen.

Sie sind gebeten, unsere bisherigen Kosten von 21700 Shekel innerhalb eines Monats zurückzuerstatten und ab heutigen Datums die weiter anfallenden Kosten selber zu tragen. Bitte notieren Sie: falls Sie Ihren finanziellen Verpflichtungen uns und dem Patentamt gegenüber nicht nachkommen, die Patentanmeldung storniert werden wird.

Ein Einspruch gegen dieses Urteil kann auf dem Rechtsweg eingereicht werden.

Hochachtungsvoll,

Zwi Neumann, Geschäftsführer

Dan schlug aufs Pult, wobei einige Behälter klirrend zum Tanzen erschwangen und brüllte: "Das kann doch nicht wahr sein! Diese scheinheiligen Schweine, jetzt wollen die mich moralisch und finanziell fertigmachen, nachdem sie mir hoch und heilig versprochen hatten, mich in meiner Rehabilitierung zu unterstützen. Ob wohl dieser Yiov, der Protegé dieser Rivka im Spiel ist? Ich werde ein Treffen mit Zwi beantragen, um erstmals mündliche Einsprache zu erheben. Dann werde ich rausfinden, was es an sich hat."

Gerade als er sich zu beruhigen begann, einen Schluck Wasser schlürfte und sich im Stuhl räkelte, klopfte es an der Tür. "Wer kann denn das wohl sein? Ich habe doch mit niemandem abgemacht?", dachte er sich. Er trat zum Guckloch der Tür und schaute hinaus, sah aber niemanden. "Da habe ich mich wohl getäuscht." Er setzte sich wieder ans Pult. Dann klopfte es erneut; Keshet stand etwas schwerfällig auf und spähte nochmals nach außen, jedoch war wieder niemand zu sehen. Er schloss nun doch die Tür auf, und als er hinaustrat, da schnellte Yiov an ihn heran und sprach:

"Dan, endlich habe ich dich gefunden. Du wusstest doch sicher, dass ich dich gesucht habe. Meine Briefe aber hast du nicht beantwortet. Das hat mich schon vor den Kopf gestoßen".

"Nein Yiov, ich habe keine Briefe von dir erhalten, und ich dachte du seist noch in der Klinik. Aber trotzdem, du platzt da so herein!" sagte Dan mit glotzenden Augen.

Yiov atmete tief ein und sagte: "Höre Dan, ich komme in guter Absicht. Wollte einfach mal unsere damaligen Absichten abklären. Komm, setzen wir uns doch und sprechen uns aus."

"Na schön Yiov, komm herein. Viel kann ich dir aber hier nicht anbieten".

Der Raum hatte nur ein kleines Fenster und war gegen Osten ausgerichtet. Yiov musste sich zuerst noch an das spärliche Abendlicht gewöhnen, das von den weißen Häuserwänden reflektiert wurde. Dan lud ihn ein, sich an den kleinen Tisch zu setzen, auf den er eine Flasche mit Wasser und ein Paar Plastikbecher stellte. Yiov schaute sich im Büro herum und nahm gerne einen Schluck des lauwarmen Nasses. Das Abpassen von Dan auf dem Gehsteig in der sengenden Mittagshitze hatte ihn zum Schwitzen gebracht. Dan sprach als Erster:

"Yiov, ich bin froh, dass wir uns endlich treffen. Du möchtest sicher wissen, was ich seit meinem Verlassen der Klinik unternommen habe?"

"Ja, Dan, das möchte ich tatsächlich. Also bitte".

Dan nickte und hüstelte: "Ich habe unsere damaligen Ideen als Patent angemeldet. Dabei dachte ich mir, dass ich dich vorläufig, so lange du noch in der Klinik bist, nicht ins Patent reinschreiben darf. Aber ich versichere dir: beim Nachfolgepatent wirst du als Mit-Erfinder figurieren."

Yiov sagte mit weit aufgerissenen Augen: "Dan, das ist für mich inakzeptabel. Die Ausrede mit der Klinik kaufe ich dir nicht ab. Du hättest mich ja fragen können, ja fragen müssen. Du hast mich nicht nur gemieden, sondern vor mir versteckt. Das zeugt nicht gerade von gutem Willen, Dan. Wie soll ich dir jetzt noch glauben?"

"Yiov, es tut mir leid, dass es so gelaufen ist. Aber schuldig fühle ich mich nicht, denn die Umstände zwangen mich dazu. Aber ich werde mich beraten und überlegen, wie ich es korrigieren kann. Warten wir's doch mal ab, OK Yiov? Ich bitte dich, Geduld zu haben. Bitte glaube mir, ich wollte dich nicht übers Ohr hauen." Dan sprach in sanftem Basston, der wie so oft seine Wirkung auf sein Gegenüber nicht verfehlte. Dan hatte sich im Innern gedacht, dass es eventuell für ihn von Vorteil sein könnte, Yiov als Partner zurück-zugewinnen. Erstens würde das möglicherweise seine finanzielle Position der Uni gegenüber verbessern, und zweitens wusste er ja um Yiovs Fähigkeiten, obwohl es ihm nicht leicht fiel, dies zuzugestehen, aber jetzt musste er über seinen Schatten springen.

Yiov seinerseits war im Innern wütend, versuchte aber nach Außen ruhig zu wirken. Jetzt wusste er ja, wo Dan seine Firma hatte und beim nächsten Besuch, wenn Dan ihn nochmals anlog, könnte er von seinem Gift Gebrauch machen. Aber wie, ohne dann gefasst zu werden? War es das wert, um dann den Rest des Lebens im Gefängnis abzusitzen. Es müsste also das perfekte Verbrechen sein! War hier der passende Ort? Oder sollte er es an einem andern Ort, womöglich bei Dan zuhause vollziehen?" Das waren die Fragen, die in Yiovs Kopf umherschwirrten, und so fragte er ihn:

"Und sonst Dan, wie geht es dir eigentlich? Fühlst du dich nun völlig genesen?" Dan gab keine Antwort, sondern nickte bloß. "Wo wohnst du jetzt, du bist umgezogen, wie ich rausgefunden habe?"

"Ja, das musste ich. Ich wohne jetzt in einer kleinen Zweizimmerwohnung nicht weit von hier."

"Kannst du mir bitte deine Adresse und Telefonnummer aufschreiben? So kann ich dich besser erreichen, weißt du für unser nächstes Treffen, nach deinen Abklärungen, wie du vorschlägst."

Es widerstrebte Dan in erster Reaktion, seine Privatadresse preiszugeben. Er wollte keine Besucher bei sich haben. Er hatte ja ein neues Leben begonnen. Das Quartier war wie ein kleines Dorf. Jeder kannte jeden, und die Leute stellten im kleinen Einkaufsladen neugierige Fragen. Die Nachbarn klopften nicht selten spontan an und baten um Eier und Zucker. Jedoch sah er Yiov an, dass er Zweifel an seinen Aussagen hatte, und die Verweigerung seiner Adresse hätte diese mit Sicherheit noch verstärkt. Also notierte er ihm die gewünschten Daten auf einen Zettel, mit der Bemerkung, er solle aber vorher anrufen, um zu vergewissern, dass er zuhause sei. Yiov bedankte und verabschiedete sich. Sie gaben einander die Hand, wie zu alten Zeiten in der Klinik.

Kapitel 37

"Rivka, da spricht Zwi aus dem Techtransfer. Hast du einen Moment?…Danke, es handelt sich um das Plagiat von Dan Keshet. Er hat gegen unsern Brief Einspruch erhoben und bittet um ein Treffen, damit er seine Ansicht vertreten kann und wir alles nochmals überdenken sollten. Ich möchte dich bitten, bei diesem Treffen dabei zu sein und dein Gutachten vorzubringen. Geht das?"

"Ja, ja, kein Problem, Zwi. Nur sollten wir auch Yiov und Tanja dabei haben. Immerhin sind sie ja die Erfinder und ihre Expertise wäre notwendig."

"Gute Idee, nur hast du denn keine Bedenken über die explosive Lage beim Zusammentreffen der beiden?"

"Ja, allerdings, da hast du recht, Zwi. Kannst du zur Vorsorge einen Sicherheitsmann aufbieten? Und auf wann möchtest du es ansetzen?"

"Ich denke in etwa vierzehn Tagen. Bis dann sollte er unser Aufgebot bestimmt erhalten haben."

"Ok, danke Zwi. Bis dann. Schalom."

In Rivka stieg ein heißes Gefühl auf. Sie erlitt solche Hitzewellen nun immer häufiger. Sie war dieses Jahr gerade vierzig geworden, und es nagte an ihr, dass diese Beschwerden so früh in ihrem Leben eingebrochen waren. Nicht, dass sie sich noch weitere

Kinder gewünscht hätte - das schlechte Gewissen ihrem Sohn und ihrer Tochter gegenüber plagten sie manchmal, weil sie sich ihrer Kariere so intensiv widmete - aber ihre Weiblichkeit und Jugend waren angekratzt. Nun, ihr Pflichtbewusstsein ließ sie nicht von den laufenden Geschäften ablenken, und sie erhob den Hörer.

"Hallo Keren, wie geht es bei euch? ...Ja, das habe ich auch beobachtet. Ich habe da interessante Nachrichten. Kannst du mir mal Yiov ans Telefon rufen? ....Ah, Yiov, gut, dass ich dich erwische. Wir haben bei Zwi in vierzehn Tagen ein Treffen mit Dan. Und dann können wir hoffentlich reinen Tisch machen. Bringst du auch Tanja mit, bitte?"

"Vielen Dank, Rivka. Ich bin dir dankbar dafür. Ich hoffe es zwar auch, bin aber doch noch etwas pessimistisch. Dieser Dan ist ein verschlagener Manipulator".

"Ja, das denke ich auch, dennoch finde ich, dass wir ihn mit Zwi zusammen zur Vernunft bringen können. Also bitte, gehen wir das Ganze etwas sachlich an. Danach können wir ihn ja immer noch einklagen. Also, mach's gut, bis dann".

Yiov stand nun auf und marschierte hin und her, wie ein Löwe im Zwinger. Keren sah dies nicht gerne und stellte ihn zur Rede:

"Yiovi, Rivka sagte, es gäbe Neuigkeiten?"

"Ja, es hat was mit userm Patent und Keshets Plagiat zu tun. Wir sollen ihn bei Zwi treffen. Wenn das nur nicht schief geht. Ich befürchte, dass er mit seinem Charme wieder alle um seinen Finger wickelt".

"Glaubst du das wirklich? Es wissen doch jetzt bereits alle Bescheid, was für ein verschlagener Typ er ist, und diesmal denke ich, wird er sich an die Tatsachen halten müssen. Also mach dir doch keine unnötigen Sorgen. Du bist doch mit Rivka und Zwi in bester Obhut."

Yiov war ihr dankbar, sank mit ihr aufs Sofa und flüsterte ihr Liebesbeteuerungen ins Ohr. Keren sagte: "Siehst du mein Yiovi, du bist also doch nicht so verrückt, wie du dich gibst", und kugelte sich vor Lachen. Yiov musste nun mitlachen und fing an, sie an der Lende und der Hüfte zu kitzeln. Sie kitzelte zurück und dann küssten sie sich gegenseitig auf den entblößten Teilen.

Yiov wurde aus dem Schlaf geweckt, die Sonnenstrahlen hatten seine Augen erreicht, und er musste sie mit der Hand abblocken, wollte er nicht erblinden. Es war bereits später Vormittag und sein Mund war trocken. In der Küche braute er sich einen Kaffee und verschluckte gewissenhaft seine Medizin. Auf dem Küchentisch lag ein angeschnittener Brotleib, wovon er sich ein Stück abschnitt, es mit Margarine beschmierte und darauf Erdbeerkonfitüre dick auftrug. Er mochte den süßen Geruch und den Geschmack im Gaumen dieses Produkts, das im Moschav Beit Itzhak bei Netanja hergestellt wurde.

Nun versuchte er seine nächsten Schritte zu planen. Doch es fiel ihm schwer, sich zu konzentrieren. Der Zwergpinscher des Nachbarn bellte ununterbrochen, den ganzen Tag lang, nur mit kurzen Unterbrüchen. Er kläffte mit hoher, fast pfeifender Stimme und rascher Frequenz. "Woher hat dieses Viech solche Energien?" Er hatte den Nachbarn schon darauf angesprochen und ihn gebeten, er solle doch bitte seinen Hund erziehen. Der Nachbar hatte unwirsch reagiert und ihm vorgehalten, was er sich als Mieter erlaube, ihm, einem Hausbesitzer, Vorschriften zu machen. Und wann er gedenke Keren zu heiraten? Das gehe ihn nun aber wirklich nichts an, hatte Yiov geantwortet und war davon gelaufen. Das war ihm zu viel des Guten, und er wollte doch auch nicht Keren, Komplikationen mit ihrem Mietvertrag einbrocken.

Von Keren war nichts zu sehen, was ihn nicht erstaunte, da sie ja allmorgendlich an die Uni fuhr. So konnte er ruhig zum Schrank gehen und den Filmbehälter herausnehmen - er war noch genau am selben Ort. Er zog seine Schuhe und eine Jacke an und verließ die Wohnung. Nach einem Fußmarsch erreichte er die Busstation, von welcher er bereits letztes Mal ins Industriequartier gefahren war. Er ergatterte auch diesmal ohne Mühe einen Fensterplatz, da keine Stoßzeit herrschte. Er hasste die Landschaft von Häuserblocks, dafür erlabte er sich umsomehr an den Parkanlagen. Nach dem Umsteigen nach Ost-Talpiot fragte er sich, ob die Jungs auf den Metallstangen immer noch die selben waren.

Es war Mitte Nachmittag als er an seinem Ziel ankam. Die Sonne brannte noch mit voller Kraft auf seinen Kopf. "Schon dumm von mir, dass ich keine Mütze mitgenommen habe", ärgerte er sich. Es war also noch viel zu früh, sich zum Wohnhaus von Keshet zu begeben, wollte er ja erst nach der fahlen Dämmerung eintreffen. Also marschierte er in Richtung von Armon Hanatziv, dem ehemaligen Hauptsitz des britischen Gouverneurs, heute als UNO Beobachtungsstation dienend. Dieser Sitz mit einer prächtigen, groß-angelegten Parkanlage war gerade das Richtige, um ohne aufzufallen die Zeit verstreichen zu lassen. Die Olivenbäume mit ihren noch unreifen Früchten wogten im Wind. Yiov atmete die gute Luft tief ein und vernahm die ihm ungewohnten Gebetsaufrufe, die vom angrenzenden Jabel Mukaber Quartier aus dem Minarett mittels Lautsprecher herüber dröhnten. Es war gerade Abendgebet, und der Muezzin lobpreiste den Herrn immer wieder aufs neue mit "Allah U-Akbar" und "Akbar-u Allah". Die von der Abendsonne gelblich gefärbten kleinen Häuser erschienen ihm, wie von Kindeshand an die Hänge gestreute Würfel. Nun blickte er zur Altstadt hinüber, wo die goldene Kuppel des Felsendoms majestätisch glänzte. Er setzte sich auf den frisch gemähten und gesprengten Rasen auf seine Jacke, um zu vermeiden, dass seine Hose nass wurde.

Plötzlich sah er von weitem ein händehaltendes Paar, das sich in seine Richtung bewegte. "Das kann ja nicht wahr sein! Das ist Shulamit mit ihrem Freund!", konstatierte Yiov. Er stand auf und entfernte sich rasch hinter eine Baumgruppe, und dann umging er das Gouverneurshaus auf der Rückseite. Schwer atmend sprach er zu sich: "Das ist noch einmal gut gegangen. Also das hätte mir gerade noch gefehlt, hier an diesem Ort auf Shulamit zu stoßen". Natürlich wollte er keine Zeugen, aber auf ihre mitleidigen Fragen, wie es ihm denn gehe, hatte er auch keine Lust.

Die Zeit war inzwischen reif geworden. Yiov ins Dunkel der Dämmerung eingetaucht, in der Ferne die blitzenden Lichter der Altstadt erblickend - Erinnerungen seiner gemeinsamen Besuche dorthin mit Keren, durch die schmalen Gässchen schlendernd, in Erwartung was das nächste Quergässchen an Geheimnissen offenbaren würde - bewegte er sich nun ins vermeintliche Quartier von Dan. Er kam in die Olei Hagardom, die zum "Galgen Verurteilten" Straße. Der Abend war jung, und es herrschte noch Betrieb. Männer und Frauen kamen von ihrer Arbeit zurück, einige Paare, die lebhaft schwatzten, einige umschlungen gehend, wohl Verliebte oder frisch Vermählte, andere streitend, wohl schon eine Ewigkeit zusammen. Yiov wandte sein Gesicht ab. Die Straßenbeleuchtung war schwach gelblich. Er wartete noch zu, bis es vor dem angestrebten Wohnblock gerade menschenleer war. Entsprechend der angegebenen Hausnummer suchte er, in den Eingang lautlos eingetreten und die wenigen Treppen hoch gestiegen, nach Keshets Namensschild. Die linke war mit "Familie Elazar" angeschrieben und die rechte war namenlos. Das musste sie sein. Er zögerte mit Anklopfen, da er nicht schlüssig war, ob er sein Vorhaben durchführen mochte, ja ausführen konnte. War Dan überhaupt zuhause? Er trat wieder auf die Straße und versuchte einen Blick in die Wohnung zu erhaschen. Das Wohnzimmer war erhellt, die Vorhänge zwar gezogen, aber doch durchsichtig wegen des Lichtes, da konnte Yiov die Gestalt von Dan ausmachen. Plötzlich entdeckte er noch eine andere Figur. Es war eine weibliche Silhouette, die er nicht zu erkennen vermochte.

Yiov beschloss noch ein wenig zuzuwarten, um zu schauen, ob die Besucherin das Haus verlassen werde. Also marschierte er die nicht endend wollende Straße entlang. Ein beißender Wind blies ihm entgegen, und er fing an zu schlottern, nicht nur der Kälte wegen. Er sehnte sich nach einem heißen Tee mit Minze. "Wo kann ich nur so einen Tee kriegen?" Da erinnerte er sich, dass es vorne auf der Hauptstraße, der Hebron- straße, einige Imbissstätten gab; also machte er kehrt und bald gelangte er wieder zu Dans Haus. Er hielt an und warf wieder einen Blick in die Wohnung hinein. Nach kurzer Weile beobachtete er, wie die Dame in eiligem Schritt wieder ins Wohnzimmer hineintrat. Sie sprach ihn kurz an, er antwortete ebenso kurz, und dann war sie wieder weg. Was sie einander wohl zu sagen hatten. Waren es ermunternde Worte oder hatten sie gar eine Auseinandersetzung? Yiov konnte es nicht ausmachen. Durch die geschlossen Fenster drangen keine klaren Worte - höchstens dumpfe Stimmen. Ob er wohl ein Verhältnis mit ihr hat, fragte er sich und musste lächeln, ob Dans Schürzenjägerei. "Wenn ich die Ohren an die Scheiben pressen würde, könnte ich das Gesagte sicherlich verstehen", dachte Yiov und betrachtete die Lage des Fensters. Es lag etwa mannshoch gelegen und das hätte eine Kletterübung von ihm abverlangt. Eine Leiter war nicht in Sicht, also beurteilte er das Unterfangen als hoffnungslos. Plötzlich fingen zwei Katzen an, sich in der nahe gelegenen Mühltonne um ihr Territorium und die Fressabfälle zu balgen. Sie verursachten eine kreischende, ohrenbetäubende, sich in der Lautstärke zu- und abnehmende Kakophonie. Er entfernte sich eiligst.

Als Yiov nach längerem Marschieren die Hauptstraße erreichte, sah er von Weitem den Bus anfahren, und so rannte er zur Station, um ihn zu besteigen - die Lust am ganzen Vorhaben war ihm vergangen. "Die Frau wird wohl den ganzen Abend, und wer weiß, die Nacht mit Dan verbringen. Es hat doch keinen Zweck, mich hier wie ein Obdachloser aufzuhalten. Und dass mich Keren vermissen wird und mir dann lästige Fragen stellt, das will ich auch nicht." Eigentlich war er der Frau dankbar, dass sie ihm als Ausrede gedient hatte, das Unterfangen abzubrechen.

Kapitel 38

Dan war heute früh auf den Beinen. Er zog sein frisch gebügeltes Hemd an. Es hatte zwar einen kleinen gelben Fleck, aber es hatte nicht mehr gereicht, es zu waschen und es dann noch zu glätten. Also wies er Ludmilla, seine Haushälterin, die alle vierzehn Tage am frühen Abend zu ihm kam, um bei ihm sauber zu machen, an, das Hemd, so wie es war, zu bügeln. Den Fleck würden die vornehmen Herren aus den Staaten sowieso nicht bemerken, da er ja darüber einen Kittel tragen würde. Ludmila war eine Ukrainerin, die vor einigen Jahren mit ihrem kleinen Sohn und ihrer Mutter aus der Krim-Halbinsel eingewandert war und ihren Broterwerb hatte von Rechnungslehrerin auf Raumpflegerin wechseln müssen. Sie konnte sich trotz ihres schweren russischen Akzents gut verständigen, jedoch als Lehrerin fand sie keine Stelle. Keshet hatte sie anfänglich als mögliche Partnerin betrachtet, jedoch, obwohl jünger als er, war sie ihm doch etwas zu alt und hatte auch das Kind. Für sie waren die zwei

Stunden, die sie bei ihm verbrachte, bereits die zweite Arbeit am Tag, ziemlich aufreibend, jedoch als zusätzliche Einnahme dringlichst notwendig. Damit konnte sie Yuri, ihrem Sohn, der bei der Großmutter gut aufgehoben war, wieder mal neue Turnschuhe oder zum Geburtstag die vom Jungen gewünschte Sony Playstation kaufen. Sie lachte dabei, als sie ihm erzählte, dass, wenn sie mit Yuri einkaufen ging, die Verkäuferinnen sie nicht als seine Mutter wahrgenommen hätten, wahrscheinlich weil sich ihre blond gefärbte Haartracht von seiner rabenschwarzen so stark kontrastierte.

Die zwei Herren erwarteten ihn bereits im Restaurant im ersten Stock, in einer Nische mit einem Holztisch; an der Wand über ihnen hingen Fotografien von Staatsoberhäuptern, die von der Beliebtheit des Lokals zeugten. Als die Amerikaner ihn erblickten, winkten sie ihn energisch mit den Armen herbei und baten ihn, Platz zu nehmen. Ob er auch ein Bier wolle oder lieber Wein oder einen Aperitif. Er sah ihre Biergläser und bat auch um eins. Als er ihre lockere Kleidung konstatierte, fand er, seine sehe jetzt fast zu geschniegelt aus. Er war eigentlich schon daran, seinen Kittel auszuziehen, ließ aber davon ab, da er sich an den Fleck erinnerte. Sie stießen an und die Gläser klirrten. Dann bald danach kamen die Antipasti, auf die sich alle gerne geeinigt hatten, da das Lokal dafür bekannt war. Dan war hungrig und griff eifrig zu, verschlang eine beachtliche Portion, und die Kollegen mussten sich beeilen, wenn sie auch noch was davon erhaschen wollten.

Dan sagte: "Danke euch, dass ihr mich so schnell wieder trefft. Das schätze ich sehr."

"Dan, sorry für die kurzfristige Ankündigung. Unser Besuch im Land wurde vom Corporate geplant, und dadurch, dass ein Rendezvous annulliert wurde, konnten wir dich reinnehmen. Sag mal Dan, wie kommst du mit deiner Forschung vorwärts?", fragte Joe Humphrey.

Dan hob seine Augenbrauen mit Erstaunen, brauchte er doch ihre Investition, um sein Labor einzurichten. "Momentan auf kleinem Feuer. Ich habe mir von meinem Ersparten einige Utensilien angeschafft und mache erste Vorversuche. Jedoch den großen Durchbruch erwarte ich nach eurer Investition, mit der ich kritische Instrumente anschaffen werde. Ihr wisst ja aus meinem Vorschlag, worum es geht, erinnert Ihr euch?"

Joe nickte, brach ein Stück vom Pitabrot ab und tauchte es in den Humusteller, machte eine schwungvolle Drehbewegung und stopfte sich das rausgefischte genüsslich in den Mund. Der zweite Besucher, der als Tom, der Finanzvorsteher, vorgestellt worden war, ein muskulöser Typ mit rötlichen Haaren und einem dicken Hals sagte: "Kannst du mir bitte etwas über dich selber erzählen, Dinge die du glaubst, dass ich sie wissen sollte."

Dan überlegte, ob dies eine Fangfrage war, nahm, um etwas Zeit zu gewinnen, einen Schluck vom Bier und erzählte nicht ohne Stolz von seinem Postdoc an der Westküste der USA und seiner Karriere an der hiesigen Uni. Tom unterbrach ihn und fragte:

"Dan, kannst du mir sagen, wieso du die Uni verlassen hast? Du hättest doch deine angewandte Forschung auch von dort in deinem Labor avancieren können. Also, ich kenne in den Staaten einige Wissenschaftler, bei denen das so gelaufen ist."

Dan wurde rot im Gesicht, aber zum Glück war die Beleuchtung in der Nische schwach und das Kerzen-licht auf dem Tisch hatte auch die beiden Mit-speisenden in einen gelblich-orangenen Teint gefärbt, so dass sie anscheinend nichts merkten. Er war von seiner Antwort selber nicht ganz überzeugt, als er hüstelnd sagte:

"Die geschäftlichen Konditionen für eine Startup Firma waren für mich unbefriedigend. Dazu kam noch, dass ich als Dozent sehr viel Energie in Vorlesungen hätte stecken müssen, und da wäre mir nicht genügend Zeit geblieben."

Joe sagte: "Ja, das leuchtet mir ein. Wir sind weiterhin an einer Zusammenarbeit interessiert, und sobald dein Patent als gültig erklärt wird, dann werden wir dir einen Investitionsplan unterbreiten."

Dan fiel ein Stein vom Herzen, als während dem Hauptgang, bestehend aus Spießchen diverser Fleischsorten, assortiertes Gemüse und gebackene Kartoffeln und danach auch bei der Nachspeise mit Tiramisu und schwarzem Kaffee, keine nachforschenden Fragen mehr gestellt wurden. Die Herren erzählten nun jeder der Reihe nach von ihren Steckenpferden, Joe vom Segeln und Tom vom Golf beim bekannten Club in Monterey. "Typisch amerikanisch", dachte sich Dan, der von Wanderungen in der Jerusalemer Altstadt oder zum Cremisan Kloster mit seinen Weinkellern neben Betlehem zu berichten wusste. Sie spitzten die Ohren und gaben die Absicht zur Kenntnis, dass sie so ein Besuch mit Weindegustation auch interessieren würde. Dan versprach, dies gerne bei ihrem nächsten Besuch einzuplanen. Somit war der Abend gerettet.

Kapitel 39

Der Tag der Sitzung mit Keshet und der Gegenpartei an der Uni war gekommen. Yiov zog ein frisches Hemd an und verabschiedete sich nach gemeinsamer Fahrt mit Keren auf dem großen Platz am Eingang neben dem Zierbecken. Sie hatte ihm viel Erfolg gewünscht. Es war zum Glück heute ein sonniger Tag, leicht bewölkt, so dass Yiov sich noch ein wenig erwärmen und das rege Treiben der Studenten beobachten konnte. Eine

Gruppe von wild gestikulierenden, rumspringenden Überseestudenten spielten gerade eine Frisbee Partie, und Yiov erkannte sie an ihrem Akzent als US-Amerikaner. Sie schienen in ihrer Fang- und Passiertechnik sehr geschickt zu sein. Es faszinierte ihn, und er schaute ihnen gebannt zu. Doch dann plötzlich erinnerte er sich ans Treffen, schaute auf die Uhr, und oh Schreck, es war bereits nach Elf. Sofort rannte er ins nahegelegene Techtransfer Gebäude, kam schnaufend im Sitzungszimmer an. Rivka, Tanja, Zwi und Dan befanden sich bereits am Tisch, auf dem ein Wasserkrug und Gläser bereitstanden. In der hintern Reihe hinter Dan saßen zwei uniformierte Sicherheitsbeamte. Yiov entschuldigte seine Verspätung, aber in diesem Land war man sich kleiner Verzögerungen gewohnt, und niemand hatte sich wirklich daran gestoßen. Er nickte allen zu. Dan lächelte ihn an.

Nach einigen informellen Gesprächen übernahm Zwi das Zepter und eröffnete die Sitzung.

"Meine Damen und Herren, ich bedanke mich, dass ihr euch alle hierher bemüht habt. Wir möchten heute abklären, was uns Dan zu seiner Verteidigung gegen die Beschwerde eines Plagiats vorbringen kann. Zwi richtete seine flache Hand Richtung Dan und sagte: "Also, bitte Dan, du hast das Wort."

Dan stand etwas schwerfällig auf und schob dabei mit seinen Kniegelenken den Stuhl unter kreischendem

Lärm nach hinten. Tanja hielt sich die Ohren zu, und Rivka schnitt eine Grimasse. Dan trug Hosenträger, um die Jeans über seinem Bäuchlein festzuhalten.

"Ich werde hier darlegen und beweisen, dass ich zu Unrecht beschuldigt wurde. Die Sachlage ist also wie folgt. Yiov und ich befanden uns ja zur gleichen Zeit in Kfar Shaul. Dort sind wir gute Freunde geworden und haben viel Zeit miteinander verbracht. Dabei sind wir auf ein gemeinsames Projekt gestoßen, mit potentiellem Nutzen für die Menschheit, wenn ich das hier so einfügen darf."

Keshet räusperte sich, entschuldigte sich und nahm einen Schluck Wasser. Dann fuhr er fort: "Die Grundidee des Patents war meine gewesen. Ich gebe aber zu, Yiov hatte sehr gute Ideen vorgebracht, und ich habe ihm deshalb vorgeschlagen, dass wir nach unserer Entlassung gemeinsam eine Startup Firma gründen und das Patent dann einreichen werden. Doch unglücklicherweise musste Yiov noch länger und auf unbestimmte Zeit in der Klinik bleiben."

Dan sah wie Yiov ungeduldig auf seinem Stuhl umher rutschte und perplex zu ihm hinüber starrte. Er fuhr weiter: "Deshalb beschloss ich die Firma inzwischen auf meinen Namen zu gründen und das Patent einzureichen. Mir war bekannt, dass in psychiatrischen Kliniken hospitalisierte Menschen, nicht unterschriftsberechtigt sind, und deshalb wollte ich das Risiko der

Ungesetzlichkeit gegenüber dem Patentamt nicht eingehen. Ich hatte die Absicht, dass sobald Yiov entlassen würde, ihn an der Firma zu beteiligen".

Dan machte eine Verschnaufpause und sein Blick wanderte im Kreis herum. Da sah er, wie Yiovs Gesicht immer röter wurde. Plötzlich schnellte Yiov vom Stuhl auf und schrie: "Du gemeiner Lügner und Betrüger!" und rannte um den Konferenztisch herum, fiel über Dan herein und begann auf diesen mit Fäusten einzuschlagen. Die beiden Sicherheitsbeamten schnellten auf und griffen nun vehement ein, rissen ihn von Dan weg und drückten ihn auf einen Stuhl runter, seine Hände festhaltend. Yiov röchelte und Schaum entwich seinen Lippen. Rivka und Tanja waren sichtlich entsetzt und blieben vorerst erstarrt sitzen. Doch dann stand Rivka auf und reichte Yiov schweigend ein Glas Wasser. Yiov begann unkontrolliert zu schluchzen. Tanja hatte inzwischen von der Lobby aus Keren angerufen, die gerannt sein musste, da sie bereits nach fünf Minuten schnaufend erschien. Keren setzte sich neben ihren Freund und hielt dessen Hand, was ihn langsam beruhigte. Die starken Männer sahen, dass sich die Lage entschärft hatte und entfernten sich einige Meter nach hinten.

Nachdem sich alles etwas beruhigt hatte, sagte Zwi: "Es tut mir leid, aber ich denke, dass es unter den gegebenen Umständen besser ist, wenn wir die Sitzung vertagen".

Dan verabschiedete sich und verließ raschen Schrittes das Zimmer, und zwar nicht bevor die Sicherheitsleute und Zwi sich bei ihm vergewissert hatten, dass ihm nichts zugestoßen war. Er gab, zwar immer noch vom Überfall Yiovs schockiert, zu verstehen, dass alles OK sei. Schweißperlen rollten von seiner Stirn runter und man hatte ihm auch zu trinken gegeben. Nun war er weg. Rivka und Tanja begaben sich zu Yiov und sprachen ihm einige tröstende und ermutigende Worte zu. Yiov blickte zuerst stumm zu ihnen auf und stammelte einige entschuldigende Worte. Keren sagte: "Ich denke, wir kommen jetzt zurecht. Vielen Dank, aber lasst euch bitte nicht länger aufhalten. Wir fahren jetzt nach Hause, damit Yiov sich wieder abregen kann."

Yiov war wieder friedlich wie ein Lamm, zwar ein zusammengefahrenes Lamm, ein Häufchen Elend und saß schweigend auf dem Beifahrersitz. Keren sprach ebenfalls nichts und konzentrierte sich auf den Mittagsverkehr. In der Wohnung angekommen, machte sie ihm einen Tee mit Minze, wie er ihn liebte. Er nippte an seinem Teeglas und seine Blicke glitten durch die offene Schlafzimmertür zum Schrank mit dem Versteck. "Am besten sollte ich das Zeugs schlucken - es hat doch alles keinen Zweck!", rasten seine Gedanken. Keren war inzwischen in die Küche gegangen, um sich beiden eine Omelette mit Petersilie, viel Petersilie zu machen und kam bald mit dem gelbgrünen Fladen zurück. Sie aßen es stillschweigend zusammen mit Brot und Margarine. Dann ergriff Keren das Wort:

"Ich bin sehr traurig, was heute abgelaufen ist. Das bist du sicher auch, ich sehe es dir in die Augen geschrieben".

Yiov schaute sie dankbar und mit feuchten Augen an und sagte schließlich: "Ja ich bin sehr enttäuscht von mir, dass ich mich wieder habe provozieren lassen. Irgendwie hatte ich mich nicht unter Kontrolle. Ich weiß nicht, wie es jetzt weiter gehen soll".

"Sag mal Yiovi, nimmst du deine Medizin eigentlich regelmäßig?"

Yiov zögerte etwas mit der Antwort und gab dann kleinlaut von sich: "Ich fühlte mich in letzter Zeit recht gut, und so habe ich davon abgelassen."

"Hör mal Yiov, ich denke, es wäre besser, wenn du wieder für ein paar Tage in die Klinik gehst, bist du wieder stabilisiert bist. Wär dies nicht vorteilhafter für uns beide? Bitte überlege, ich bin ja nicht ausgebildet in Krankenpflege, und ich denke, du brauchst jetzt wieder professionelle Begleitung. Also nicht dass du denkst, ich möchte mich von einer Pflege drücken, oder ich möchte dich gar loshaben. Im Gegenteil, die Zeit in der du in der Klinik verweiltest, war für mich eine sehr einsame Zeit." Keren schaute Yiov mit ihren großen und treuen Augen an.

"Ich denke, du hast recht. Ich werde morgen Koppelevic anrufen und meine Ankunft ankünden. Mal schauen, was er dazu zu sagen hat".

Kapitel 40

Yiov reckte sich und gähnte. Die ersten Sonnenstrahlen beleuchteten das Waschbecken gegenüber dem Bett. Die für ihn neue Schwester namens Zippi hatte ihn um sechs Uhr morgens geweckt, um ihm die Medikamente zu verabreichen. Er schluckte sie willig, und Zippi lobte ihn. Wo eigentlich Schwester Tamar sei, erkundigte er sich. Sie habe heute gerade einen freien Tag, aber bereits morgen sei sie wieder zurück. Er wanderte nun zum Frühstückssaal hinüber, und instinktiv schaute er an den Platz, wo Dan immer gesessen hatte, aber da saß nun jemand anders. Diesen jungen Mann mochte er von Anfang an nicht leiden. Aber der Hunger lenkte ihn auf seinen Teller. Er löffelte zufrieden seinen Grießbrei; den hatte er schon im Internat gut gemocht. Er dachte an Mucki. Was wohl aus ihm geworden war? War er immer noch im Internat?

In der Sprechstunde lächelte Koppelevic ihm zu und sagte: "Sei herzlich willkommen. Voraussichtlich ein Monat Aufenthalt bei uns wird dir gut tun. Ich bin zuversichtlich, dass du dich rasch stabilisieren kannst. Ich bitte um deine Zusammenarbeit, was alle Therapien anbelangt. Gut so?"

Yiov nickte ihm willig zu und fragte: "Was für ein Therapie Programm hast du denn für mich vorgesehen?"

Der Arzt öffnete sein Heft und machte einige Notizen, dann sprach er: "Bevor ich das festlege, möchte ich von dir hören, wie du das ganze beurteilst. Also erzähle mir doch, was vorgefallen ist".

Yiov schaute auf den Boden, bückte sich und schnürte seine Schuhe. "Ich schäme mich. Das hätte mir nicht passieren dürfen. Verflixt, schon wieder!" Er war aufgestanden und Koppelevic bat ihn nun, sich auf die Couch zu legen und tief zu atmen.

Dann sagte der Arzt: "Hast du eigentlich deine Medikamente täglich eingenommen?"

Yiov verneinte mit dem Kopf und wiederholte dann die Erklärung, die er Keren schon gegeben hatte.

Koppelevic sprach: "Die Medikamente sind ja dazu da, zu verhindern, dass du rückfällig wirst. Glaubst du, dass wenn du sie eingenommen hättest, der Vorfall passiert wäre?"

"Ja du hast recht. Das war unverantwortlich von mir."

"Wieso denkst du, hast du so gehandelt?"

"Ich glaube, meine euphorischen Gefühle mit dem Patenterfolg haben mich vergessen lassen, mich meiner Gesundheit zu widmen".

"Gut, das ist schon mal ein guter Anfang. Für deine Therapie machen wir zuerst natürlich das übliche, also die medikamentöse Behandlung und Psychotherapie. Dazu verschreibe ich dir wieder die Boxtherapie. Danach, je nachdem wie du darauf reagierst, sehen wir weiter. Ist das OK für dich?"

Yiov war natürlich einverstanden, da er sich auf seinen Psychiater voll verließ. Koppelevic notierte sich noch was. Dann war die Zeit um, und sie verabschiedeten sich. Yiov begab sich nun direkt in den Fitnessraum und zog sich um. Micha gesellte sich zu ihm und half ihm wie immer in die Boxhandschuhe.

"Guten Morgen Yiov, und wie geht es uns denn heute? Also, du kennst ja die Technik bereits. Bitte schlage auf den Sandsack rein und bringe deine Wut zum Ausdruck".

Yiov grätschte die Beine und begann den Sack mit seinen Fäusten zu bearbeiten. Zuerst abtastend und dann immer schneller, immer wuchtiger. Allmählich begann er auch zu verbalisieren: "Dan, du Hund, du Hund! Du gemeiner Hund!" Er schlug weiter voll auf den Sack, wischte sich zwischendurch etwas umständlich mit dem dicken Handschuhrücken den Schweiß von der Stirn und rief wieder aus: "Dan, du

Schwein, ich werd' dich töten, ich werd' dich töten!" Jetzt hatte er kaum noch Luft und sank zu Boden.

Micha sagte: "Sehr gut, ausgezeichnet. Mach nur weiter so!" Micha hatte in seinem Journal Yiovs Ausdrücke und Verhalten sorgfältig notiert. Jedoch trocken und ohne spezielle Kommentare, da er in der Morddrohung keine Gefahr gesehen, denn solche Ausdrücke kamen in der hiesigen Sprache und Kultur der hitzigen Auseinandersetzungen des öfters vor, daher nicht überraschend auch in der Boxtherapie.

Yiov machte bald Fortschritte in der Behandlung, und das Pflegepersonal war zufrieden mit ihm. Hingegen Keren machte sich Sorgen. Als sie ihn nach etwa zwei Wochen Aufenthalt wieder besuchte, fand sie ihn im Garten unter einem Baum dösend vor. Sie weckte ihn. Er erschien ihr apathisch und lethargisch. Anders als sie es gewohnt war. Sie wollte gelegentlich mit Koppelevic darüber sprechen. Vielleicht sollte man die Arzneidosen verringern oder sogar die Mittel wechseln. Darüber hatte sie in einem Artikel gelesen. Es gäbe da nun neuartige Medikamente, bei denen die Nebenwirkungen angeblich geringer waren. Auch hatte sie von früherem zweifelhaftem Vorgehen gewisser Pharmariesen vernommen: die hätten nämlich bei der Auswertung der Resultate gemogelt, indem sie die negativen Resultate einfach weggelassen hätten. Aber darüber wollte sie aus verständlichen Gründen weder mit Yiov noch den Ärzten sprechen.

Kapitel 41

Dan saß im Wohnzimmer und grübelte übers Geschehene nach. Er war noch schockiert von Yiovs Überfall - das hatte er nun wirklich nicht erwartet. Nun war, wie ihm zu Ohren kam, Yiov wieder hospitalisiert. Obwohl er sich etwas sicherer fühlte, fand er es doch blöd, dass sein gemeinter Partner mit ihm vorläufig nicht zusammenspannen konnte. Er sinnierte auch über Yiovs Gemütszustand und in welchem Maß er dazu beigetragen hatte. Er fühlte sich zwar im Recht, aber Gewissensbisse nagten doch an ihm. Er konnte seine Gedanken nicht von ihm ablassen. Er hatte doch eigentlich auf einen andern Ausgang der Verhandlungen an der Uni gehofft, und zwar hatte er beabsichtigt, Yiov zu beteiligen, was ihm ja bestimmt eine bessere Position gebracht hätte. Jedoch dazu war es dummerweise nicht gekommen - hätte er doch nur seine Vorschläge schneller angebracht, sofort am Anfang der Sitzung!

Seine Gedanken wurden von Ludmillas eifrigem hin und her unterbrochen. Er betrachtete sie in ihren Shorts und den wohlgeformten langen Beinen. Sie trug offenbar keinen BH und Dans Blicke hingen an den wippenden Brüsten unter dem ausgeschnittenen T-Shirt. Er gab sich einen Schubs und zwang sich wegzublicken. Er hatte ja beschlossen, dass er mit ihr kein Verhältnis eingehen wollte. Dies hatte er ihr auch zum Ausdruck gebracht, um bei ihr keine Hoffnungen aufkommen zu lassen. In seinem Zustand, psychisch und finanziell, konnte er momentan keine feste Beziehung mit einer Frau aufbauen, die dazu noch ein Kind hatte. Und für einen One-Night-Stand war ihre Situation nun doch kaum passend.

Sie war wieder in die Nassbereiche verschwunden. Nach einer Weile hörte er sie aus der Küche rufen: "Dan, ich mache gerade eine Pause und mach mir einen Kaffee. Möchtest du auch einen?"

Er rief zurück: "Ja gerne. Schwarz mit einem Zucker."

Sie kam mit einem kleinen kupfernen Tablett, das sich Dan in der Altstadt günstig erstattet hatte, mit dampfendem Kaffee, ein paar Biskuits und bückte sich, während sie es neben Dan abstellte. Ihr ausquellendes Décolleté war ganz nahe, direkt über seinem Gesicht, und er roch ihren Geruch, eine Mischung von Parfum und Schweiß. Er griff nach der Tasse und ihre Arme streiften sich, wie zufällig. "Zufällig?", dachte sich Dan. Er bedankte sich, und sie lächelte ihn an. Er trank in Gedanken, während sie sich wieder in die Küche begab. Er schaute ihr nach.

Dan war trotz des Kaffees müde, und seine Augenlieder waren schwer. Plötzlich sah er Yiov auf der Türschwelle stehen. Er stand dort schweigend, bloß mit bohrendem Blick.

"Was willst du von mir, Yiov? Wie kamst du rein? Hat Ludmilla dir aufgemacht?" Es kam keine Antwort. "Es tut mir wirklich leid, dass du dich geprellt fühltest, damals während der Sitzung. Aber bitte, hör mir doch zu! Es war ein Missverständnis!" Yiov schwieg immer noch mit grimmigem Gesicht. Dan wollte aufstehen, sich verteidigen, falls Yiov wieder zum Angriff überging. Doch er war wie gelähmt und konnte sich nicht rühren. Jetzt schien Yiov etwas zu sagen - er bewegte seine Lippen. Doch Dan verstand kein Wort; es erschien ihm wie in einem Stummfilm. "Ludmilla, Ludmilla, sag, hast du ihm die Türe geöffnet? Ludmilla, Ludmillaaaah! Wo bist du denn?"

Dan öffnete seine Augen in Schrecken. Draußen dämmerte es schon. Er hörte den Laster der Kehrichtabfuhr mit ratterndem Motor und den schrecklichen Lärm der schreienden Männer und der zusammenprallenden Mülltonnen. "Abfall entsorgen ist doch ein arbeitsintensiver Vorgang", streifte der Gedanke sein Gehirn ganz kurz, wobei er sich auch gerne seines eigenen Mülls entledigt hätte. Er hatte schreckliche Kopfschmerzen. Die Adern schienen bald zu zerplatzten. Er musste sich einen Kaffee brühen. Er stand mit knackenden Knochen auf und schaute sich um, er ging in die Küche. Ludmilla war nicht zu sehen. Dann bemerkte er einen Zettel auf dem Küchentisch. Es war Ludmillas eckige Handschrift, die Handschrift einer Neueinwanderin. Er las:

Schalom Dan,

was gestern Abend mit uns geschah, hätte nicht geschehen dürfen. Wir haben doch besprochen und beschlossen, dass unsere Beziehung ein reines Arbeitsverhältnis bleiben soll. Deshalb ist es mir unerklärlich, wie das passieren konnte. Ich ließ mich dazu hinreißen. Du warst offenbar in einer Trance. Aber so richtig bereue ich es nicht. Es war berauschend. Jedoch sollten wir es bei diesem einzigen Mal belassen. Machen wir einen Strich darunter. Von mir aus gehört es der Vergangenheit nach. Falls du aber damit nicht zurecht kommst und meine Kündigung verlangst, dann werde ich dies verstehen.

Ludmilla

Dan war verwirrt. Er versuchte sich zu erinnern, was gestern geschehen war. Was auf dem Zettel stand, war das wirklich geschehen? Er ging zur Wohnungstür und drückte die Klinke hinunter. Sie war verschlossen. Yiov war demnach nicht mehr in der Wohnung. Oder doch? Er schaute sicherheitshalber noch im Schlafzimmer und im Badezimmer nach. Keine Spur von ihm.

"Habe ich mir das alles wohl bloß eingebildet? War das alles nur ein böser Traum? Aber der Zettel, der ist doch echt, oder?"

Er ging nochmals in die Küche, um sich zu vergewissern. Er nahm ihn in die Hand, zerknüllte ihn und warf ihn in den Eimer. Doch er bereute es, nahm ihn wieder heraus und glättete ihn. Er war zwar nun etwas bekleckst, aber lesen konnte er Ludmillas Botschaft immer noch. Er las alles nochmals durch, mehr als einmal. Es war ihm immer noch schleierhaft.

"Ich werde sie darauf ansprechen und sie ausfragen. Ich werde ihr alles erklären, alles was mit meiner Krankheit zu tun hat. Oder doch besser nicht? Vielleicht einfach ignorieren und das Thema ad acta legen, wie sie selber vorschlägt?" Er hatte keine Antwort auf diese Fragen. "Zuerst muss ich mir nun endlich meinen Kaffee brauen und die Arznei einnehmen. Dann kriege ich sicher einen klareren Kopf."

Kapitel 42

Yiov hatte wieder mal Besuch. Sie waren zu dritt angekommen. Keren hatte beide Damen, Rivka und Tanja mit ihrem Käfer hingefahren. Sie fanden Yiov im Aufenthaltsraum in einem Stuhl vor dem Fernseher und in den Kasten hinein starrend. Sie begrüßten ihn, und er schaute kurz zu ihnen hinüber, glotzte sie an und starrte wieder in den Kasten. Die Damen waren zuerst entsetzt, wie apathisch er sie empfing, und Keren musste ihnen auf der Seite flüsternd erklären, wie es um ihn stand.

Dann trat Keren zu ihm, ergriff seinen Arm und sprach ihn an: "Sieh doch Yiovi, du hast hohen Besuch. Bitte komm, setz dich zu uns. Wir haben dir interessante Nachrichten zu erzählen". Keren nahm ihn an der Hand und führte ihn zur Sitzgruppe.

Rivka lächelte ihm zu und reichte ihm die Hand. Tanja sagte: "Hallo mein Partner!"

Rivka sprach langsam und deutlich: "Yiov, hör mir gut zu. Es gibt eine wichtige Entwicklung für dich, für uns alle. Verstehst du, was ich sage?" Sie erwartete von ihm eine Antwort, bevor sie weiterfuhr. Yiov schien aufzuleben und beantwortete die Frage mit: "Ja, doch, doch".

"Gestern hat mich Zwi angerufen und mir mitgeteilt, dass er einen Brief vom Patentamt erhalten habe. Dort stand, dass die Patentanmeldung von Keshet nicht akzeptiert worden war. Der Grund sei, dass eine Schweizerfirma schon ziemlich lange vor der Eingabe von Keshet eine internationale Anmeldung gemacht habe, die inzwischen publik geworden sei. Das Patent sei inhaltlich quasi deckungsgleich mit Keshets Anspruch." Rivka hielt inne; sie wollte sicher gehen, ob Yiov verstand, was sie ihm gerade offenbart hatte.

Yiov sah sie gespannt an und fragte fast flüsternd: "Heißt das nun wirklich, dass Dans Anmeldung gescheitert ist?"

"Im Grunde auf den ersten Blick schon. Wir werden uns aber die Veröffentlichung der Schweizer noch genau ansehen, um das definitiv beurteilen zu können. Das ist für uns vor allem wichtig, um zu schauen, ob uns der Weg für unsere Anmeldung frei geworden ist. Dan könnte theoretisch versuchen das Schweizerpatent anzufechten. Das ist aber ein langwieriger und teurer Prozess. Und wie es aussieht, hat er winzige Chancen auf Erfolg damit. Ich denke auch nicht, dass er das finanziell überstehen wird, denn, wie ich von Zwi erfahren habe, hat er seine Schulden noch nicht getilgt, der Arme. Und womöglich kommt noch ein kostspieliger Patentstreit auf ihn zu."

Yiov schien aufzublühen. Er sagte: "Das sind wirklich gute Nachrichten. Könnt ihr mir das Material zukommen lassen, damit ich es studieren kann? Ich möchte natürlich auch mithelfen, unsere Patentanmeldung entsprechend zu revidieren."

Keren konnte ihren Augen und Ohren kaum glauben. Diese Gemütswandlung Yiovs hatte sie kaum erwartet. Ihr Gesicht glühte vor Freude. Sie nahm Yiovs Hand und sagte begeistert: "Yiovi, ja unbedingt, musst du da mitmachen!"

Auch Rivka gab ihrer Genugtuung mit ihrer ironischer Art zum Ausdruck: "Na, was hast du dir denn gedacht? Du kämest ohne zu arbeiten davon? Tanja wird sich mit dir treffen, und da könnt Ihr das ausfeilen. OK?" Dabei schaute sie beide abwechselnd an.

Dann mussten sie Yiov leider wieder verlassen, und nachdem er sie zum Ausgang begleitet hatte, fühlte er gleichzeitig ein Glücksgefühl und eine immense Müdigkeit. Er begab sich auf sein Zimmer und legte sich aufs Bett, samt Schuhen und nickte ein.

Er wurde von Tamar geweckt: "Yiov, und wie geht es uns heute? Hier bitte nimm deine Medizin ein. Es ist, wie von Dr. Koppelevic verordnet, eine angepasste, das heißt reduzierte Dosis der bisherigen Medikamente". Er schluckte brav, worauf sie sagte: "Aber, aber, Yiov mit den Schuhen aufs Bett. Komm ziehe dich für die Nacht um."

Dann war er wieder allein und schaute in den Garten, der vom Vollmond fast tageshell erleuchtet war. Er dachte an seine hoffentlich baldige Entlassung aus der Klinik und an seine Rückkehr ins Alltagsleben, an seine Wiedervereinigung mit Keren. Dann plötzlich erinnerte er sich an die Filmkapsel und deren gefährlichen Inhalt. Er hatte manchmal sogar daran gedacht, das Zyankali selber zu schlucken, wenn er lebensmüde geworden war. Doch jetzt hatte er abgewägt, dass er dies Keren nicht antun wollte.

"Was soll ich mit dem Gift in der Kapsel bloß anfangen?", hatte er sich im Stillen gefragt. Nach langem inneren Kampf mit sich selber kam er zu guter Letzt zum Schluss: "Ich werde es in die Toilette werfen und mit der Wasserspülung entsorgen. Keren soll davon nie was erfahren! Dan hat ja jetzt seine Strafe zur Genüge bekommen, oder? Ich glaube, meine Verwünschungen haben gewirkt."

Kapitel 43

Yiov war wieder zuhause und saß guter Dinge mit Keren im Wohnzimmer, als das Telefon klingelte; Keren nahm den Hörer ab. "Schalom Rivka, was gibt's Neues?" Yiov beobachtete, wie Keren die Augen aufriss: "Nein, wirklich? Das kann doch nicht wahr sein? Moment, ich gebe dir gleich Yiov."

Yiov hörte Rivkas Stimme, die leise tönte, nicht wie üblich: "Yiov, vielleicht solltest du dich besser hinsetzen… also, ich selber bin noch geschockt. Dan Keshet wurde tot aufgefunden. Vor etwa einer knappen Woche. Die Beerdigung ist auf morgen angesagt. Falls ihr daran teilnehmen wollt, findet sie um elf Uhr auf dem Friedhof von Givat Shaul statt. Nathan und ich werden hingehen, als Repräsentanten der Uni. Wir sprechen uns noch. Schalom."

"Ah, einen Augenblick noch Rivka. Du sagtest vor einer Woche? Wieso wird er dann erst morgen beerdigt?"

"Ich weiß auch nichts genaueres. Man sagte uns etwas von einem unnatürlichen Tod."

"Tatsächlich? Danke dir Rivka, bis dann."

Keren setzte sich neben ihn, hielt ihm die Hand und fragte: "Wie fühlst du dich? Kommst du damit zurecht?"

Yiov schwieg und schaute ihr tief in ihre lieben Augen. Wie wenn er dadurch auf dem tiefen Grunde Rat finden würde. Dann sprach er: "Du weißt ja, das Verhältnis mit Dan war ein Komplexes. Ein Zwiespältiges. Manchmal hätte ich ihn umbringen können. Und manchmal hatte ich Mitleid mit ihm. Er war im Grunde ein armer Kerl. Schicksalsgeschlagen."

"Ich verstehe dich gut. Was meinst du, sollen wir an der Beerdigung teilnehmen?"

"Ich denke, diese letzte Ehre könnten wir ihm antun. Obwohl er ja davon nichts mitbekommen wird. Aber vielleicht auch der Angehörigen wegen. Ich hoffe, da kommen wenigstens ein paar. Dan war sehr einsam. Ich kann mich nicht erinnern, dass ihn jemand in der Klinik besucht hat. Auf jeden Fall hat er nie was davon erwähnt."

Keren chauffierte ihren VW mit Yiov auf dem Beifahrersitz und Tanja auf dem Hecksitz, und als er die Abzweigung nach Kfar Shaul sichtete, zeigte Yiov in diese Richtung: "Schon ein ulkiges Gefühl. Vor nicht allzu langer Zeit war ich mit Dan dort in der Klinik, und nun werden wir uns von ihm verabschieden, fast am gleichen Ort."

Es war an diesem sonnigen Apriltag noch ziemlich kühl, als Yiov, Keren und Tanja durchs Tor des Friedhofs von Givat Shaul schritten. Yiov sah die Gräber, unzählige Gräber - Gräber, die, je weiter er blickte, immer kleiner wurden, ein Gräbermeer. Yiov dachte sich, dass das Leben endlich ist, aber der Tod unendlich. Am fernen Horizont eine Kette der judäischen Hügel. Der Weg zog sich in die Länge, denn freie Gräber gab es nur noch am hinteren, am entfernten Ende. Dann erreichten sie den Unterstand und trafen auf die Trauergemeinschaft. In der Mitte lag die aufgebahrte Leiche, die in einen Gebetsschal eingewickelt war. Es war nur eine kleine Ansammlung von Leuten anwesend. Einige, offenbar die nächsten Verwandten, standen nahe an der Bahre. Yiov näherte sich, drückte ihnen die Hand und murmelte: "Mein Beileid." Sie nickten ihm stumm zu. Dann trat er wieder zurück und schaute sich um, als er Nathan und Rivka erblickte. Er nahm Keren an der Hand und führte sie zu den Professoren. Nathan sprach: "Schalom Yiov, wie geht es dir? Gut seid Ihr gekommen!"

"Einen schönen Kranz habt Ihr mitgebracht."

Ein kecker junger Mann in Begleitung einer attraktiv aussehenden Frau mit nordischem Einschlag trat auf Yiov zu und sprach ihn an: "Hallo Yiov, gut dich zu sehen, nur schade ist es unter diesen Umständen." Yiov musste sich einen Augenblick sammeln, bevor er Schlomi wiedererkannte. Sein helle Haartracht hatte sich seit damals merklich gelichtet.

"Oh, Schlomi, schon lange nicht mehr gesehen. Wie geht es dir?"

"Bestens, wir sollten uns mal treffen, und dann werden wir alles nachholen. Ich notiere dir meine Telefonnummer. Ruf doch gelegentlich mal an. Und übrigens das hier ist Chava, meine Frau." Er fügte hinzu: "Kannst du dich vielleicht an Chava erinnern? Gegen Ende deiner Zeit hatte sie gerade bei Rivka ihr Masterstudium angefangen."

Chava ergänzte: "Ich kann mich noch gut an dich erinnern. Ich saß gerade bei Rivka zur Vorstellung, als du reintratest."

Nun erinnerte sich Yiov: "Doch doch, jetzt kommt es mir wieder in den Sinn. Aber ich war damals gestresst und hatte kein Auge für dich."

Keren fügte schmunzelnd hinzu: "Das war wahrscheinlich mein Glück." Yiov legte seinen Arm um Kerens Schultern.

Etwas abseits stand eine blondhaarige Frau und weiter hinter ihr ein schwarzhaariger Bursche. Yiov fragte sich, ob sie wirklich dazu gehörten oder sich verlaufen hatten. Dann fing der Rabbiner mit der Zeremonie an. Es waren die üblichen Gebete wie das Kaddish, das Loblied an Gott, das in Abwesenheit von Eltern und Kindern von den anwesenden Verwandten vorgelesen wurde, und danach sang der Rabbi das El Ma'ale Rachamim, des barmherzigen Gottes, in herzzerreißender Stimme. Der Onkel mütterlicherseits wurde nun aufgerufen, einige Abschiedsworte zu Ehren Dans zu sagen, und so lernte Yiov, dass Dan einen Onkel gehabt hatte. Der Onkel in einem schwarzen Anzug, eine Barrettmütze tragend und sich an einem Stock stützend, fing mit seiner Andacht an:

"Dan war mir wie ein Sohn. Er war ein sehr guter Schüler, und seine verstorbenen Eltern, der wir hier auch gedenken wollen, waren sehr stolz auf ihn. Dan hatte schon als kleiner Junge eine lebhafte Fantasie und liebte es, allerlei chemische Experimente anzusetzen. Einmal als ich bei ihnen zu Besuch war, zeigte er mir aufgeregt einen seiner Versuche. Dabei explodierte das Gemisch. Zum Glück hatte er mich zur Vorsicht gebeten, einige Meter Abstand zu nehmen, so lief alles glatt ab. Seine Karriere war vorgezeichnet. Doch dann erlitt Dan einige schwere Schicksalsschläge, darunter seine Krankheit, und was dann zuallerletzt geschah, war für uns sehr bitter. Das hat er wahrlich nicht verdient, dieser gute Mensch." Beim letzten Satz wurden dem Onkel die Worte von Tränen erstickt. Dann, als er ein Glas Wasser getrunken hatte, welches ihm seine Frau aus der Plastikflasche eingeschenkt hatte, beendigte er seine Ansprache: "Dan wurde uns allzu früh weggenommen. Der körperliche Dan schied von uns, aber sein Geist wird uns zurückbleiben. Nicht zuletzt dank seinen hervorragenden wissenschaftlichen Publikationen."

Yiov dachte sich bei den letzten Worten des Onkels: "Ja wahrlich bleibt der Menschheit Dans Werk erhalten, solange sich die Menschheit nicht selbst zerstört."

Der Rabbiner hielt nun seinerseits seine Andachtsrede und bat Dan traditionsgemäß im Namen der Anwesenden um Verzeihung. Am Schluss zitierte er die Worte des Propheten Jesaja (Jesaja 62,1): "Um Zions Willen will ich nicht schweigen, und um Jerusalems Willen will ich nicht innehalten, bis seine Gerechtigkeit aufgehe wie ein Glanz und sein Heil brenne wie eine Fackel." Danach schritten sie hinter dem Leichenkarren her bis zur ausgehobenen Ruhestätte. Dort hinein wurde die Leiche langsam hinunter gelassen. Die Anwesenden schaufelten der Reihe nach Erde ins offene Grab, bis Dan bedeckt war. Es folgte wiederum das Kaddish Gebet. Und nun traten Nathan und Rivka heran und legten den Kranz mit der Anschrift der Uni darauf. Zum Schluss legten die Teilnehmer einen Stein aufs Grab und verabschiedeten sich vom trauernden

Onkel, seiner Frau und ihren Kindern. Yiov, Keren und Tanja schritten stillschweigend zum Ausgang. Die unbekannte Frau ging vor ihnen her, neben ihr der Schwarzhaarige.

"Wie fühlst du dich?", fragte Keren.

"Irgendwie wie leer…"

Kapitel 44

Am Tag nach der Beerdigung wischte Yiov zuhause den Boden nass auf. Keren war schon früh an die Uni gefahren. Er wollte ihr durch solche Hausarbeiten seine Dankbarkeit ausdrücken. Hinterher setzte er sich ans Pult, um an den Abänderungen der Patentschrift zu arbeiten. Aus dem Garten drang Vögelgezwitscher hinein. Es hörte sich an wie das Balzen eines Verliebten, der um ein Weibchen warb. Yiov lächelte, stand auf und schaute durchs Küchenfenster in den Garten, der steil Richtung Ein Karem abfiel, um einen Blick von den gefiederten Wesen zu erhaschen. Plötzlich vernahm er ein Klopfen an der Tür - eigentlich war es eher ein Hämmern. "Verdammt nochmals, wer benimmt sich so ungestüm?", murmelte er vor sich hin, als er zur Tür schritt und aufmachte.

"Ich bin Polizeioberinspektor Busaglo, und das ist mein Partner Inspektor Levy", wobei er seinen Ausweis zückte. "Bist du Yiov Mazok?"

"Ja, der bin ich. Was ist geschehen, dass Ihr mich so überrumpelt?"

"Wir haben einen Durchsuchungsbefehl gegen dich. Lass uns bitte rein." Busaglo sprach die hebräischen Buchstaben "Chet" und "Ajin" guttural aus, wie es den Zugehörigen von Mizrahi Einwandern entsprach.

"Darf ich den sehen? Was ist denn der Grund dafür?"

Busaglo ein etwa Mitte Vierziger mit einem Bürstenschnitt und einem schwarzen Schnurrbart, à la Sadam Hussein, zeigte das Papier vor, und nachdem sich Yiov vergewissert hatte, dass es echt war, erschrak er und wies sie mit einem Wink und gesenkten Schultern an, einzutreten.

"Was soll denn das heißen 'Wegen Mordverdacht'? Wer ist ermordet worden?", fragte er mit aufgerissenem Mund und mit den Händen gestikulierend.

"Dan Keshet. Aber mehr kann ich dir im Moment nicht sagen, denn die Abklärungen sind noch im Gang. Wir starten jetzt die Durchsuchung und bitten dich, danach mit uns auf die Polizeistation zu kommen. Dort werden wir dir ein paar Fragen stellen."

"Ja, wenn es sein muss. Ich werde allerdings hier eine Meldung für meine Lebensgefährtin hinterlassen, damit sie weiß, wo ich bin. Wo genau befindet sich die Station?"

"In der Innenstadt auf dem Gelände des 'Russischen Viertels'."

"Was sucht ihr eigentlich? Vielleicht kann ich euch ja behilflich sein."

"Wir suchen die Mordwaffe!"

"Mordwaffe? Bei mir? Da kann ich leider nicht dienen - ich habe ja keine Ahnung, wie und womit er angeblich ermordet wurde."

Inzwischen waren noch weitere Polizeibeamte in die Wohnung eingedrungen. Sie stellten, oder besser gesagt, warfen alles drunter und drüber. Nach einer Weile konfiszierten sie zwei große gezähnte Küchenmesser, welche sie in separate Plastikbehälter verstauten. Sie schienen mit den Funden zufrieden zu sein, als Busaglo zum Aufbruch rief. Nun nahmen zwei muskulöse Beamte Yiov in ihre Mitte, führten ihn zur Polizeistreife, die vor dem Haus stand und wiesen ihn an, hinten auf den Rücksitz einzusteigen. Die Beamten setzen sich beidseitig neben ihn. Yiov sah einige der Nachbarn neugierig aus den Fenstern gaffen. Dies war ihm unangenehm, weil er befürchtete, dass sie Keren mit Fragen belästigen würden. Mit Blaulicht und Sirene setzte der Chauffeur den blau-weißen Wagen in Fahrt und raste Richtung Stadtmitte. Er nahm den Weg über den Herzlberg, die Herzlstraße hinunter, wobei er manchmal zusätzlich zur Sirene das bis ins Rückenmark dringende Horn betätigen musste, wenn Autos nicht brav zur Seite wichen. Gelegentlich erreichte er haarsträubende neunzig km/h. Yiov wurde es schwindlig und bange dabei. Dann ging's die Jaffastraße entlang, bis sie links abbogen ins malerische "Russische Viertel". Bevor sie durch ein Tor ins Polizeiareal hineinfuhren, erhaschte Yiov noch einen Blick von der Heiligen Russischen Dreifaltigkeitskathedrale, mit ihren vielen kleinen Türmchen.

Die Beamten befahlen ihm in barschem Ton, aus dem parkenden Auto auszusteigen und führten ihn durch den Haupteingang ins Gebäude, in dem es nur so von Leuten wimmelte, durch einen dunklen Korridor, rissen eine Türe auf, photographierten ihn von vorn und im Profil, notierten seine Personalien und nahmen ihm Fingerabdrücke. Danach wiesen sie ihn an, im Raum zu warten. Es gab da einen hölzernen Tisch und drei Stühle. Yiov erblickte an der einen Wand einen Spiegel. Dank seiner durch Tanja erworbenen Kenntnisse in Optik nahm er an, dass es sich um einen halb-versilberten Spiegel handeln musste, der deswegen einseitig transparent war. Deshalb vermutete er auch, dass er aus dem Nebenraum beobachtet wurde. "Dann gibt es da sicher auch Mikrophone zum Mithören", dachte er bei sich. Das Warten im leeren, grell beleuchteten Raum, ohne Fenster, ohne Trinken, mit einem unangenehmen

Geruch, der ihm in die Nase stach, an einen verstopften Toilettenabfluss erinnernd, dieses Warten zog sich in die Länge. Er verlor das Zeitgefühl und spürte, wie ihm zunehmend übel wurde. Ein Druck von der Magengegend bis unters Herz stieg in ihm auf. Er hatte in der Eile vergessen, seine Medizin einzunehmen, und deshalb stand er auf, ging zur Türe und klopfte. Als er keine Antwort vernahm, fuchtelte er mit den Händen und rief: "Hallo, ist da jemand? Ich muss dringend telefonieren! Das Recht habe ich doch, oder?"

Dann endlich, es musste sicher eine Stunde verflossen sein, öffnete sich die Tür und Busaglo in Begleitung von Levy traten ein. Sie setzten sich ihm gegenüber und Busaglo fragte: "Wie geht es dir?"

"Sehr schlecht, fast wie zum Kotzen."

"Schön, also wenn du rasch mit der Wahrheit rausrückst, dann kommst du auch rasch hier wieder raus. Also schieß los, was hast du uns zu erzählen. Schön langsam der Reihe nach."

"Nein, das hast du falsch verstanden. Mir ist schlecht, weil hier die Luft stickig ist, ich nichts zu trinken bekam und ich heute meine Pillen nicht geschluckt habe. Lasst mich bitte meine Partnerin anrufen, damit sie mir die Medikamente bringen kann."

"Was für Medikamente nimmst du denn? Woran leidest du?"

"Ich leide an einer bipolaren Krankheit. Mit den Pillen bin ich stabil."

Busaglo und Levy schauten sich bedeutungsvoll an. Levy, ein stattlicher braunhaariger Typ, etwa anfangs Vierzig, der bisher nichts gesagt hatte, fügte hinzu: "Also manisch-depressiv."

"Yiov, kanntest du Dr. Dan Keshet?"

"Natürlich kannte ich ihn. Wir waren ja in der gleichen Abteilung an der Uni."

"Wie würdest du dein Verhältnis mit Dan Keshet beschreiben?"

Yiov atmete tief ein und sprach langsam und vorsichtig, da er sich um die Bedeutung seiner Wortwahl bewusst war: "Bevor ich diese Frage beantworte, möchte ich sicher gehen, dass ich meine Situation genau verstehe. Also wieso habt ihr mich verhaftet? Stehe ich wirklich unter Mordverdacht? Und bis ich Keren nicht anrufen darf, sage ich überhaupt nichts mehr."

"Wir möchten dich warnen. Eine Aussageverweigerung ist nicht zu deinen Gunsten. Das kann dann vor Gericht gegen dich verwendet werden. Und beantworte bitte unsere Fragen wahrheitsgetreu. Denn Unwahrheiten können deine Schuld untermauern!" Letzteres sagte er in erhöhtem Ton und drohendem Zeigefinger.

"Also, lasst ihr mich nun telefonieren oder nicht? Das ist mein Recht!" Auch Yiov hatte seine Stimme erhoben, wobei sie etwas weinerlich tönte.

Busaglo sah jetzt ein, dass Yiov offenbar seine Rechte kannte. Deshalb versprach er, ihm eine Telefonverbindung herzustellen. Dass er vorhatte, ihn vorher noch etwas schmoren zu lassen, sagte er natürlich nicht. Laut sagte er: "Wie du willst, das ist deine Zeit hier." Dann standen sie beide abrupt auf und verließen den Raum.

Yiov marschierte wie ein Löwe im Käfig schnellen Schrittes hin und her, immer wieder hin und her. Endlich erschienen Busaglo und Levy wieder im Untersuchungszimmer. Man kann nicht sagen, dass er bei ihrem Anblick erfreut war, aber etwas erleichtert schon. Busaglo hatte einen Telefonapparat in der Hand und schloss ihn an eine Steckdose an. "Bitte, die Linie ist hergestellt - du kannst jetzt anrufen. Drei Minuten Maximum."

Yiov ging zum Apparat und wählte Kerens Nummer an der Uni, in der Meinung, sie sei immer noch an der Arbeit. Aber sie meldete sich nicht. Besorgt rief er nun zuhause an. Nach etwa fünf Klingeltönen vernahm er ihre Stimme. "Keren, oh ich bin so froh, dich endlich erreicht zu haben." Dann versagte seine Stimme und Keren sagte: "Yiovi, ich bin gerade am Aufbrechen zur Polizei. Ich bin erst vor Kurzem nach hause gekommen und habe eben deine Meldung gelesen. Was wollen die von dir?"

"Keren, ich kann hier nicht lange reden. Bringe mir doch bitte meine Medikamente… Ach ja und noch etwas: kannst du mir bitte die Telefonnummer von Sela, unserem Nachbarn raussuchen, der ist doch Anwalt, oder?"

"Klar, mache ich. Ich bin in etwa dreißig Minuten bei dir. Inzwischen atme tief durch. Ok, Yiovi?"

Busaglo war zurückgekehrt und schaute ihm bohrend in die Augen: "Na und? Kannst du meine Frage beantworten? Beschreibe bitte dein Verhältnis zu Dan Keshet".

"Es war ein komplexes. Dan war ein begabter Wissenschaftler, aber leider hat ihm seine Krankheit einen Strich durch die Rechnung gemacht."

"Was meinst du damit?"

"Er wurde aus der Uni entlassen."

"Also dir muss man ja schon die Würmer aus der Nase ziehen. Wir wissen Bescheid. Also bitte Yiov, sag es endlich, es war wegen dir. Das stimmt doch?"

"Nein, so kann man es nicht sagen. Er hat zwei Vergehen begangen mit dem Diebstahl meiner Aufzeichnungen und mit dem Schreiben eines Plagiats. Es ist mir sehr unangenehm, hier meinen ehemaligen Kollegen nach seinem Tod anschwärzen zu müssen."

"Stimmt es, dass du 'deinen ehemaligen Kollegen' mehrmals gewalttätig angegriffen hast?" Wobei Busaglo die Worte "deinen ehemaligen Kollegen" verächtlich in die Länge gezogen hatte.

Yiov sperrte seine Augen weit auf, kniff sie dann wieder zusammen. "Also, so wie du die Umstände präsentierst, das ist sehr ungenau und unfair. Ich möchte jetzt einen Anwalt sprechen".

"Du brauchst uns bloß die Wahrheit zu sagen, und dann kommst du hier rasch wieder raus und brauchst gar keinen Anwalt", sagte nun Levy in väterlichem Ton.

Busaglo platzte plötzlich mit der Frage raus: "Yiov Matzok, wo warst du am Mittwoch des zwanzigsten dieses Monats zwischen zehn und zwölf?"

"Das werde ich versuchen zu rekonstruieren. Ich habe meinen Kalender nicht dabei, aber hoffentlich fällt es mir bald ein", sagte er, seine Augen nach oben rollend. "Ich möchte mich jetzt mit einem Rechtsanwalt beraten. Lasst bitte Keren rein, damit sie mir meine Pillen und die Telefonnummer des Juristen bringen kann."

"Aha, du hast also kein Alibi!", kreischte Busaglo frohlockend, wobei sich sein Schnurrbart abhob und darunter ein Goldzahn zum Vorschein kam. Er glaubte, den Fall schon gelöst zu haben.

"Nein, das habe ich nicht gesagt. Ich möchte mich da nur nicht täuschen!"

"Also, sobald du dich erinnern kannst, ruf uns bitte, wir müssen jetzt dringend zu einem Notfall", sagte Levy beschwichtigend und stand auf. Busaglo war schon an der Tür, als ihnen Yiov nachrief: "Bringt mir meine Medikament bitte! Wo ist Keren, verdammt nochmal!"

Yiov war gleichzeitig niedergeschlagen und todmüde. Die Einsamkeit in diesem nackten, weißgetünchten Raum bedrückten ihn. Dann schlief er ein.

Er wusste nicht wieviel Zeit vergangen war, als er an der Schulter geschüttelt wurde. Es war Levy, der ihm seine Tabletten überreichte, dazu ein Glas Wasser. "Und da ist noch eine Nachricht von deiner Freundin."

"Wo ist sie? Wieso bringt ihr sie nicht zu mir?" winselte Yiov schlaftrunken.

Levy ging nicht darauf ein und fragte: "Was ist nun mit deinem Alibi? Wo warst du zum genannten Zeitpunkt?"

"Ich kann mich nicht mehr erinnern. Ich möchte keine falsche Aussage machen. Aber ich glaube, ich war mit Keren zusammen. Die weiß bestimmt genau, wo wir an dem Tag waren. Das kann ich euch versprechen, die wird die Wahrheit präzise wiedergeben können. Sie ist nämlich Mathematikerin."

"Gut, das werden wir morgen abklären. Aber heute nacht, bis wir das überprüft haben, musst du leider in

Untersuchungshaft bleiben. Das machen wir in solchen Fällen immer. Man kommt dich bald abholen."

"Ich möchte vorher aber nochmals telefonieren."

"Ja, das kannst du. Sag es dann bitte den Wärtern, die dich in die Zelle führen." Levy verabschiedete sich wortlos und verriegelte den Raum von außen.

Kapitel 45

Nach nicht allzu langer Zeit hörte Yiov Rasseln im Schloss. Die Türe wurde geöffnet, und zwei uniformierte Kassenschränke traten ein, legten ihm Handschellen an und führten ihn ab. Zwischen hindurch schubsten sie ihn heftig, damit er schneller gehe, oder sie versetzten ihm gar Stöße mit dem Ellbogen in die Rippen. Yiov schrie auf: "Aja, das tut weh! Ist das denn nötig?" Der Weg ging am Ende eines langen Flurs eine Treppe hinunter, dann nochmals durch einen schwach beleuchteten Korridor bis an eine stählerne Gittertür. Dort läuteten sie kurz, und ein Wärter, der Yiov grimmig anblickte, entriegelte ihnen die Tür. Sie führten ihn in eine dunkle Zelle, die zwei Bettrahmen enthielten, darauf lagen hauchdünne Matratzen und je eine Wolldecke, von Leintüchern und Kissen keine Spur. Von der Decke her schien eine eingefasste Glühbirne, die für die Zelle spärliches Licht bot. Durch eine kleine

Luke konnte Yiov ausmachen, dass es inzwischen Nacht geworden war.

Yiov legte sich aufs Bett, seine Gedanken kreisten ums Geschehene, um die Ungerechtigkeit, die Brutalität, um Keren. Er machte sich Sorgen, was wohl mit ihr geschah. Sicher grämte sie sich auch seinetwegen. Wahrscheinlich hatte sie bereits den Rechtsanwalt angerufen, sodass dieser sicher bald erscheinen würde. Dann nickte er wieder ein. Aber nicht für lange; denn das Schloss rasselte, und die ihm bereits bekannten Kolosse stießen einen unrasierten Mann mit langen Haaren brutal in die Zelle. Dieser fiel hin und ächzte vor Schmerz. Dann erhob er sich langsam und humpelte zum freien Stahlbett.

"Diese Halunken. Wie die einen behandeln." Dann bemerkte er Yiov auf dem andern Bett und sagte: "Ich heiße Micki und du?"

"Ich bin der Yiov." Er musste unweigerlich an seinen Jugendleiter Mucki denken.

Micki stand auf, humpelte zu Yiov hinüber, setze sich neben ihn und sprach flüsternd: "Weswegen bist du hier?"

Yiov antwortete in normaler Stimmlage: "Ich bin hier, weil man mich wegen Mord verdächtigt."

"Ya'alla, da hast du dir aber was eingebrockt. Schlimm, gell?"

"Wie man's nimmt. Diese Polizisten versuchen, mir die Schuld mit aller Gewalt in die Schuhe zu schieben! Aber ich bin unschuldig!", grunzte Yiov.

"Und die glauben dir nicht? Das begreife ich gar nicht. Du scheinst doch ein ganz anständiger Kerl zu sein."

"Danke dir, das ist nett, das du das sagst. Und du, wegen was bist du hier?"

"Ich? Wegen Einbruch. Ich bin vorbestraft, und nun wollen sie mir diesen Fall auch noch anhängen. Aber diesmal war ich wirklich nicht dabei. Ich schwör's!" Wobei er die Hand aufs Herz legte.

Irgendwie tat ihm Micki leid. Er hätte ihm gerne geholfen. Er überlegte sich, ob er seinen Anwalt - wenn er doch endlich erscheinen würde - fragen sollte, ob er auch Mickis Verteidigung übernehmen würde.

"Siehst du, da hocken wir also im selben Boot", sagte Micki und fuhr fort: "Sag mal, hast du ein Alibi?"

"Bisher konnte ich mich nicht genau daran erinnern. Aber morgen wird mir Keren, das ist meine Freundin… sie wird mir helfen, alles aufzuklären."

Micki sagte erneut im Flüsterton: "Dann ist ja gut. Aber falls du trotzdem irgendwie darin verwickelst warst, dann rate ich dir, momentane Unzurechnungsfähigkeit anzugeben. Das führt in den meisten Fällen zu Freispruch oder stark gemilderter Strafe. Das kenn' ich von einem Kumpel, der sich damit aus der Schlinge ziehen konnte."

Yiov wollte von dem nichts wissen: "Nein, nein Micki. Danke für den Tipp. Aber ich brauche ihn wirklich nicht. Ich hatte zwar in der Vergangenheit eine Wut auf diesen Dan, aber ich hatte ihn schon lange nicht mehr gesehen, als es geschah. Übrigens weiß ich auch gar nicht, wann und wo es geschah und wie es ablief".

Micki nickte und humpelte zurück auf sein Bett. Yiov war erschöpft und legte sich hin. Er fror und breitete deshalb die Wolldecke über sich aus. Die Augen geschlossen dachte er an Mucki. Damals im Internat, als er gegenüber einem Knaben handgreiflich wurde und Zimmerarrest kriegte, kam Mucki zu ihm ins Zimmer und setze sich neben ihn aufs Bett fast genau so, wie es Micki jetzt getan hatte. In Gedanken hörte er Muckis aufmunternde Worte. Er war so feinfühlig gewesen und hatte ihn in seiner Wut auf seinen Vater verstanden. Diese Wut sei auch eine innere Wut gegen sich selbst. Er müsse lernen, sich zu verzeihen, hatte er ihm damals gesagt. Er nickte schließlich friedlich ein.

Mitten in der Nacht wachte er wieder auf. Er spürte ein Jucken und Brennen am ganzen Körper. Es hatte offenbar Wanzen oder Flöhe in der Wolldecke oder auf der Matratze. Er musste sich kratzen, und der Schlaf war wie verflogen.

Es war acht Uhr morgens als Busaglo erschien und Levy in sein Büro rief. "Guten Morgen. Hat Yiov gesungen?"

"Nein, hat er nicht. Ich denke wir sollten ihn laufen lassen. Er ist nicht der Killer".

"Lass dich bitte nicht von deinen Gefühlen leiten. Wir brauchen Tatsachen! Harte Fakten!"

Levy kannte seinen Boss. "Der projiziert jetzt nur seine Frustration auf mich", dachte sich Levy, sprach es aber natürlich nicht laut aus, sondern sagte: "Ich habe mir vorhin gerade diesen Micki vorgeknöpft, und er sagte, 'aus diesem Yiov ist nichts rauszuholen. Ich glaube nicht, dass er der Mörder ist'."

"Mag schon sein, aber diese Keren müssen wir doch noch vernehmen. Mal schauen, ob sie uns ein stichfestes Alibi geben kann. Also eins, das auch noch von jemand anderm bestätigt werden kann. Du hast sie doch sicher vorgeladen. Wann kommt sie?"

"Das war nicht nötig. Sie ist schon da, und zwar mit einem Anwalt. Soll ich die beiden jetzt hereinrufen? Er besteht darauf, dass sie ihre Aussage nur in seiner Gegenwart macht."

"Gut, bring sie rein. Mal schauen, was für Argumente er vorbringen wird, dieser Paragraphenjongleur. Die haben ja keine Ahnung, wie's in der wirklichen Welt zugeht."

Busaglo schlürfte gerade an seinem "Botz", schwarz mit Zucker, als sie eintraten. Der Mann im weißen Hemd, schwarzer Hose und mit dunkelblauer Krawatte musste seinen Kopf beim Passieren des Türrahmens senken. Er stellte sich als Anwalt Sela vor; hinter ihm war Keren gefolgt, die ihr Haar zu einem Knoten zusammengebunden hatte und eine dunkelgrüne Bluse über einem hellgrünen Rock trug.

"Was Ihr euch da geleistet habt, hat klar gegen die Rechte des Verhafteten verstoßen. Mein Mandant ist nun schon fast vierundzwanzig Stunden in Untersuchungshaft, und ihr habt ihm das Recht auf einen Anwalt verweigert. Ich kenne eure Zermürbungstaktiken. Bringt mir jetzt Yiov Matzok sofort, damit ich ihm juristischen Beistand geben kann". Sela war aufgestanden und hämmerte mit der Faust auf den Tisch.

"Nur langsam, Herr Anwalt, wir lassen uns da nicht so schnell einschüchtern. Du weißt ganz genau: in Fällen, wo Gefahr besteht, dass die Beweislage manipuliert werden könnte, dürfen wir den Verhafteten auch während achtundvierzig Stunden festhalten, ohne jegliche Beeinflussung von außen", sagte Busaglo mit sich selbst zufrieden und fuhr fort, sich nun an Keren wendend: "Es liegt in deiner Hand, Frau Yaziv, deinem Freund zu helfen. Kannst du uns sagen, wo Yiov am Mittwoch des zwanzigsten dieses Monats zwischen zehn und zwölf war? Dein Freund wollte uns da keine Angaben machen, was ihn zum Hauptverdächtigen macht. Ich muss dich daran erinnern, hier nur die Wahrheit, nichts als die Wahrheit zu sagen."

Sela intervenierte und sagte zu seiner Mandantin: "Du musst seine Fragen nicht beantworten, bevor du sie nicht mit mir besprochen hast."

"Doch, doch, ich möchte aussagen. Das wundert mich nicht, dass Yiov in dieser gestressten Situation sich nicht sicher war. Aber ich kann mich genau daran erinnern. Yiov war an dem Tag etwas vor zehn gerade in Kfar Shaul in der Klinik zur Konsultation. Ich fuhr mit ihm hin und war die ganze Zeit dabei."

"Bist du absolut sicher? Denn sollte sich herausstellen, dass du gelogen hast, dann steht es schlimm um ihn, und du wirst des Meineids und der Mithilfe verklagt!"

Sela wollte schon Einspruch erheben, aber Keren winkte ab und sprach: "Nein, da bin ich mir ganz sicher. Aber ihr werdet das mit Leichtigkeit nachprüfen können. Fragt bitte nach Dr. Koppelevic. Yiov hat Dan Keshet nicht ermordet. Da könnt ihr Gift darauf nehmen!"

Kapitel 46

Yiov wachte an diesem Tag um zwölf Uhr mittags auf. Seit seiner Verhaftung und der schrecklichen Nacht in der Zelle war sein Schlaf sehr unregelmäßig, gespickt mit Albträumen und mehreren Toilettenbesuchen. Er hatte Keren deshalb vorgeschlagen, auf den Couch im Wohnzimmer zu übersiedeln, was sie akzeptierte, weil sie die Nachtruhe zum Ausüben ihres Jobs benötigte, aber auch um ihm etwas Raum zu lassen. Yiov hatte keinen freien Kopf zum Bearbeiten des Patents. Seine Gedanken kreisten um den Mord an Dan, an ihrer Beziehung, und trotz der Dunkelperioden mit ihm erinnerte er sich auch an die Lichtseiten, vor allem an ihre gemeinsame Zeit in der Klinik, wo sie tiefe Gespräche geführt und sich beim Schachspiel gemessen hatten.

"Wer und was wohl hinter diesem Mord steckt?", fragte er sich beim nachmittäglichen Spaziergang nach Ein Karem, beim Abstieg die sprießenden Bäume kaum bemerkend. "Ich kann mir nicht vorstellen, dass Dan solche Feinde gehabt hätte, die zu sowas fähig gewesen wären, oder? Und wieso haben die mich verdächtigt? Wohl wegen unseren gelegentlichen ausgearteten Streitereien? Oder war da noch was anderes im Spiel? Ob Busaglos Bemerkungen rund um seine Beziehung zu Dan, die er ins Lächerliche gezogen hatte, etwas damit zu tun hatten?"

Was ihn auch beschäftigte, waren seine neulich entflammten Konflikte mit Keren. Sie hatte durchblicken lassen, dass sie es finanziell gerne auf einen grünen Zweig bringen und bald mal Kinder haben möchte. Er hatte ihr geantwortet:

"Liebling, du siehst ja, dass ich an meinem Patent, das heißt an Tanjas und meinem Patent, arbeite. Das braucht halt seine Zeit." Und übers Thema Nachwuchs hatte er gesagt: "Hast du eigentlich meiner Krankheit wegen keine Bedenken? Man sagt, sie sei vererbbar."

"Ich habe gelesen, dass da wohl genetische Aspekte im Spiel seien. Aber die Krankheit breche nur aus, wenn das Kind in einem bedrückenden Elternhaus aufwachse. Deshalb solltest du dir deswegen keine unnötigen Sorgen machen. Oder hast du im Sinn unser Kind zu stressen?", sagte sie lächelnd.

Es war an einem Freitag, als Keren vom Einkaufen zurückkehrte und mit der Wochenendausgabe der "Yedioth" in der Hand winkend rief: "Yiovi, du wirst es kaum glauben, da sind die neusten Nachrichten über Keshets Tod. Hier ist ein Bericht über die Umstände, die zum Mord geführt haben sollen. Stell dir vor, auf den Artikel wird in den Schlagzeilen hingewiesen. Da schau!"

Yiov nahm die Zeitung an sich und warf einen Blick darauf, um sich selbst zu überzeugen. In großen Lettern stand:

"DER MORD AM WISSENSCHAFTLER DR. DAN KESHET IST GELÖST!"

Und in kleinen Buchstaben darunter:

"Der mysteriöse, brutale Mord am Wissenschaftler der hebräischen Universität in Jerusalem konnte entschlüsselt werden, wie der Sprecher der Polizei gestern Abend mitteilte. Der Mörder wurde gefasst. Seite Drei."

"Yiov, liest du mir den Artikel vor? Ich mache uns inzwischen einen Salat, mit Petersilie, Zitronensaft und Olivenöl. Ich habe gerade frischen bulgarischen Käse gekauft. Den werde ich auch dazugeben - das magst du doch, oder?"

Yiov nickte zufrieden und setzte sich neben Keren an den Küchentisch, währenddessen sie die Tomaten und Gurken mit dem neuen großen Küchenmesser in kleinste Würfel verarbeitete - die alten Instrumente wurden von der Polizei bekanntlich konfisziert. Er fing an vorzulesen:

"Der Wissenschaftler war am Abend des 20. April dieses Jahres in einer riesigen Blutlache tot aufgefunden worden. Seine Kehle war mit einem Messer brutal aufgeschlitzt worden, wie die Autopsie ergab. Polizeioberinspektor Busaglo tappte lange Zeit im Dunkeln, der Verdacht war anfänglich auf einen ehemaligen Studenten gefallen."

Yiov schaute Keren entsetzt an und meinte ärgerlich: "Du, das ist doch eine Frechheit, hier auf mich Anspielungen zu machen. Ich werde die Zeitung einklagen."

"Schon krass, was diese Journalisten sich erlauben. Aber bedenke doch, Yiovi, dass sie deinen Namen ja nicht nennen. Da werden sie sicher mangels Beweisen durchkommen."

Yiov las nach einer kurzen Pause weiter vor: "Dann gelang es ihnen, den richtigen Mörder zu überführen. Wie seine Haushälterin russischen Ursprungs bezeugte, hatte das Opfer mit ihr ein Verhältnis gehabt. Der Sohn hatte, wie die Detektive rausfanden, von dieser Beziehung erfahren und sah sich in der Ehre seiner Mutter gekränkt. Dem nicht genug, stellte sich heraus, dass das Opfer bisexuell war und auch mit dem Sohn der Haushälterin in ein Verhältnis verstrickt war. Der vor Eifersucht getriebene Sohn war geständig, als man ihm in der Untersuchungshaft die unanfechtbare Beweislage - inklusive identifizierter Mordwaffe und der Blutspuren des Opfers in der Wohnung des Täters – dargelegt hatte. Die Gerichtsverhandlung ist auf den ersten September dieses Jahres festgelegt."

Yiov sah sich die Bilder an. Sie zeigten den jungen Täter und Dan, lebend und tot. Er legte die Zeitung weg, war kreideweiß im Gesicht und schwieg. Plötzlich begann es ihn am ganzen Körper zu schütteln. Schließlich mündete alles in einen Weinanfall. Die unkontrollierte Körperreaktion war ein Gemisch von Trauer um Dan, einer Erleichterung, dass der Täter gefunden worden war und eine Entladung der Spannungen, die während der Verhaftung und danach auf ihm gelastet hatten. Der beunruhigende Gedanke, wie er damals um Dans Haus geschlichen war, mit bösen Absichten und dass ihn möglicherweise jemand gesehen haben konnte, hatte ihn lange beschäftigt. Nun war ihm auch klar geworden, wer die Frau war, die er durchs Fenster beobachtet hatte. Auch schauderte ihn der Gedanke, dass der unbekannte Bursche an der Beerdigung Dans wahrscheinlich der Mörder selbst gewesen war. Und jetzt ahnte er auch, wieso ihn Busaglo auf eine anzügliche Art nach seinem Verhältnis mit Dan ausgefragt hatte.

Keren hatte ebenfalls Tränen in den Augen. Yiov, den Kopf an ihre Schulter gelehnt, begann zu sprechen, ganz langsam und nur für Keren vernehmbar: "Zugegeben, ich habe mich Dan gegenüber manchmal schrecklich benommen. Das schlechte Gewissen nagt an mir, obwohl er mir persönlich ja viel Schaden zugefügt hat. Vielleicht bin ich irgendwie auch schuld an seinem Tod." Eigentlich wollte er ihr jetzt seine vergangenen dunklen Absichten beichten, aber dann dachte er bei sich: "Ich habe mich ja zu guter letzt beherrscht und nichts verbrochen. Ich werde mein kleines Geheimnis besser für mich bewahren…"

"Nein, Yiovi, das darfst du nicht sagen. Du hast dir nichts vorzuwerfen. Im Gegenteil. Ich bewundere dein Mitgefühl. Siehst du, das wäre doch jetzt eine Gelegenheit für einen Neuanfang."

Yiov schaute durchs Küchenfenster und sah, wie der rote Feuerball über Ein Karem unterging.

Ende

Alle Personen und Handlungen in diesem Buch sind frei erfunden.

Dank

Mein Dank gilt meinem Großcousin Dr. Armand Rapp und Frau Bea Zwilling, meiner Jugendfreundin für die Durchsicht und Korrekturen des Manuskripts, meinem Jugendfreund David Wieler für seine Prüfung auf Korrektheit psychologischer Ausdrücke und Vorgänge, sowie meiner unermüdlichen Ehefrau Mali für ihre Unterstützung, und meinem Sohn Netanel-Samuel und meiner Tochter Jasmin-Lucie für ihre Ermutigung.

Ingram Content Group UK Ltd.
Milton Keynes UK
UKHW022013100423
419954UK00018B/264

9 783756 225750